Goodbye Britannia

DU MÊME AUTEUR

La Chine en eaux profondes, Stock, 2017

Sylvie Bermann

Goodbye Britannia

Le Royaume-Uni
au défi du Brexit

Stock

Couverture Coco bel Oeil
Illustration de couverture © Foto-Rabe de Pixabay

ISBN 978-2-234-08449-0

Avant-propos

La Reine Blanche autorisait à Alice six mensonges, ou « six choses impossibles à croire », avant le petit déjeuner. Il y eut plus de six mensonges pendant la campagne référendaire sur le maintien du Royaume-Uni dans l'Union européenne (UE), et les sujets de sa Très Gracieuse Majesté ont vécu dans une sorte de conte. Le réveil au lendemain du référendum du 23 juin 2016 fut douloureux. Mais la réalité n'a pas pour autant repris ses droits. Et, au bout du compte, les Britanniques ont replongé pendant trois ans et demi dans le monde absurde d'*Alice au pays des merveilles,* quand ce n'était pas celui des Monty Python : un véritable chaos, et bien souvent un cirque politique avec des acteurs parfois hauts en couleur, à l'instar de John Bercow, *speaker* (président) de la Chambre des communes au Parlement de Westminster, « la mère des démocraties ». Son fréquent rappel à l'ordre rugissant « *ORDEEER* » restera dans les annales.

Le 1er avril 2019, un épisode cocasse, au cours duquel de jeunes activistes écologistes d'Extinction Rebellion, presque nus, se sont collés avec de la glu aux vitres de la galerie des visiteurs de la Chambre des communes lors d'un débat de nouveau non concluant sur le Brexit, a suscité des commentaires sarcastiques ou désabusés sur les réseaux sociaux : si seulement c'était la chose la plus ridicule ou la plus insensée que nous ayons vue dans cette enceinte au cours de ces trois dernières années !

Seule l'élection triomphale et en quelque sorte paradoxale de Boris Johnson en décembre 2019, au cri de ralliement de « *Get Brexit done* » (réalisons le Brexit), dans un pays où les sondages donnaient alors une légère majorité au maintien dans l'Union européenne, a, du jour au lendemain, mis fin au débat.

Pendant ce temps-là, le monde poursuivait sa course et sa recomposition que la pandémie de Covid a mise en lumière.

De nombreux Britanniques, à mon arrivée en août 2014 à la cour de Saint-James – puisque c'est auprès de la reine et non du Premier ministre que sont accrédités les ambassadeurs –, m'avaient prédit l'ennui après mes années en Chine, où j'avais été témoin notamment de l'arrivée au pouvoir de Xi Jinping et de l'affirmation croissante de la Chine sur la scène internationale. La perception était que je revenais dans la vieille Europe à un poste tranquille, sans histoire. Je leur répondais à leur grand étonnement et amusement que je ne pensais pas m'ennuyer car ils étaient à mes yeux certainement au moins aussi exotiques, sinon plus, que les Chinois. La famille royale, l'apparat monarchique, les chapeaux de la reine, la pompe des Tudors à Westminster, les juges poudrés, les hôtels d'*old boys*, les courses de chevaux à Ascot, la parade annuelle des guildes de la City, les matchs de cricket, les pubs, une myriade d'accents, du plus populaire au plus « posh », l'odeur de *fish and chips* dans les rues, les bookmakers et l'humour en toutes circonstances... toutes ces idiosyncrasies, « *so British* », si justement et joliment décrites dans les années trente puis soixante par un ancien attaché d'ambassade à Londres : Paul Morand[1].

Un Français habitué à passer ses vacances en Italie ou en Espagne, une fois franchie la Manche, est en effet immédiatement dépaysé par le paysage urbain et les coutumes, si différents de ceux de l'Europe continentale. Si proches et si lointains, des voisins si mal connus en réalité.

Je ne m'attendais toutefois pas alors à être témoin d'une révolution et à vivre une période historique. Un moment de l'histoire qui interpellera dans cinquante ou cent ans et qui a même déjà inspiré de nombreux romans tel *Middle England*[2] de Jonathan Coe lequel capte si bien l'esprit du temps ; ou encore, sous forme de parodie, la quintessence de la littérature enfantine anglaise : *Five ou Brexit Island*[3] (Le Club des cinq sur l'île du Brexit) et *Alice in Brexitland*[4] avec, en exergue,

---

1. Paul Morand, *Londres*, suivi de *Le Nouveau Londres*, Gallimard, 2012.

2. Jonathan Coe, *Le Cœur de l'Angleterre*, Gallimard, 2020.

3. Bruno Vincent, *Five on Brexit Island*, Quercus, 2016.

4. Lucien Young, *Alice in Brexitland*, Ebury press, 2017.

l'avertissement : « Il n'y a pas besoin d'être fou pour vivre ici mais ça aide… »

À l'automne 2019, à l'approche de la décision finale sur la sortie du Royaume-Uni, deux nouveaux livres résolument hostiles au Brexit ont exprimé la colère de leurs auteurs. Dans une courte dystopie kafkaïenne intitulée *The Cockroach*[1] qui évoque également Jonathan Swift, Ian McEwan raconte la métamorphose du Premier ministre, Boris Johnson, en cancrelat pour poursuivre « la plus vaine et la plus masochiste des ambitions jamais imaginées dans l'histoire des îles Britanniques, le "réversalisme", la longue marche arrière vers un simulacre de ce que nous avons été ». John le Carré, très européen, a lui-même mis le Brexit, « une pure folie », au cœur de son dernier roman d'espionnage *Agent Running in the Field*[2].

Le résultat du référendum du 23 juin 2016 sur le maintien du Royaume-Uni dans l'Union européenne a bien été une révolution dans ce « pays de boutiquiers », selon l'expression dédaigneuse de Napoléon – mais que les Britanniques reprenaient volontiers à leur compte –, pour qui le portefeuille et donc les intérêts économiques primaient sur toute autre considération. La prévalence des émotions sur la raison, de l'idéologie et du dogmatisme sur le pragmatisme, a constitué une remise en cause de toutes ces certitudes et de la conviction des dirigeants que leurs compatriotes étaient viscéralement attachés au *statu quo*.

---

1. Ian McEwan, *Le Cafard*, Gallimard, 2020.
2. John le Carré, *Retour de service*, Gallimard, 2019.

Pour les commentateurs britanniques, une telle rupture renvoyait à des moments où le destin du pays avait basculé : la référence la plus courante étant la crise de Suez en 1956, certains remontaient toutefois à 1940, au Blitz et à la bataille d'Angleterre. J'ai même entendu évoquer la guerre d'indépendance américaine… C'est dire la profondeur du traumatisme. Le terme de « tragédie » revenait fréquemment. Une étrange révolution pourtant, dont, contrairement aux États-Unis avec l'élection de Donald Trump, les « révolutionnaires » ne sont pas arrivés immédiatement au pouvoir après les épisodes shakespeariens ou vaudevillesques de l'été 2016, qui ont vu jour après jour les vainqueurs dépassés par leur victoire se poignarder dans le dos et se défiler.

C'est donc une conservatrice, ancienne partisane, quoique tiède, du maintien dans l'Union européenne, qui est devenue Première ministre – comme l'a génialement illustré une caricature du *Times* où elle enjambe avec ses chaussures totémiques pointues, au motif panthère, sur un sol taché de sang, les corps des prétendants dans lesquels était fiché un poignard.

La victoire, sans campagne faute de combattants, de Theresa May a constitué alors un soulagement car la raison semblait l'emporter tandis que toute la classe politique était au bord de l'effondrement. Mais, non-brexiteuse pendant la campagne, Theresa May a cru devoir en rajouter pour prouver sa légitimité à conduire le pays à la rupture avec l'Union européenne. On a imaginé un temps qu'elle avait eu un trait de génie et d'humour en nommant les trois mousquetaires du Brexit – *musketeers* rimant en anglais avec

Brexiteers, terme utilisé par ceux qui les critiquaient – à des postes responsables et concurrents (Boris Johnson aux Affaires étrangères, David Davis au ministère de la Sortie de l'UE et Liam Fox au Commerce extérieur). Elle semblait ainsi les mettre au pied du mur, condamnés à assumer l'échec d'une mission impossible. Au lieu de cela, la nouvelle Première ministre a asséné à chaque occasion un mantra à jamais célèbre, et parfois détourné : « *Brexit means Brexit* » (le Brexit signifie le Brexit). Poussée il est vrai par ses partenaires européens et au premier rang par une France apparemment impatiente de boucler la procédure de divorce, elle a annoncé l'invocation du désormais fameux article 50 du traité de l'UE déclenchant la procédure de retrait, à la date du 30 mars 2017, sans que ni le dispositif, ni la stratégie, ni même la définition du Brexit ne soient arrêtés. Le compte à rebours de deux ans était lancé alors que les élections françaises et allemandes, respectivement au printemps et au début de l'automne 2017, auraient pu fournir un prétexte pour se donner le temps de la préparation.

Je n'oublierai jamais la soirée ni la nuit blanche du référendum, que, dans ma correspondance diplomatique précédant le vote, exercice quasi obligé de prédiction, j'avais intitulée « la nuit la plus longue » en concluant néanmoins avec prudence sur les commentaires des Remainers que je rencontrais dans les jours précédant le vote : « *Fingers crossed* » (On croise les doigts).

Le directeur financier de la campagne du « In », Roland Rudd, m'avait invitée à une soirée électorale dans un club de Saint-James. Quelques ministres, des hommes d'affaires et des avocats étaient présents, de même que mes collègues allemand, italien et irlandais, ce dernier s'étant beaucoup investi dans la campagne, en raison du million d'Irlandais résidant au Royaume-Uni et disposant du droit de vote ainsi que des risques du Brexit pour l'Irlande. Tout le monde était serein. Après quelques fluctuations dans les sondages les semaines précédentes, le choc causé par la mort tragique de la députée travailliste remainer Jo Cox dans un climat de haine et d'exaltation nationalistes, quelques jours auparavant, semblait avoir apaisé les esprits et resserré les rangs. Remainers comme Brexiters étaient convaincus, les premiers pour s'en réjouir, les seconds pour le déplorer, du résultat favorable au maintien dans l'UE. Les sondages informels de sortie des urnes, commandés par la City, donnaient à 22 heures 52 pour cent en faveur du Remain. Nigel Farage, le dirigeant du parti nationaliste UKIP (United Kingdom Independance Party), avait au même moment concédé la victoire, tout en assurant que le débat ne serait pas clos en raison de la marge étroite entre les partisans du maintien et ceux de la sortie (« Ce n'est pas parce que vous avez 52 % [seulement] que l'affaire est close et que nous allons nous taire »). Quatre-vingts parlementaires des deux camps ont alors écrit à David Cameron pour lui demander de rester Premier ministre dans tous les cas de figure.

Cette atmosphère faisait écho à celle de « *Number Ten* », la bourgeoise et modeste résidence du Premier ministre à Downing Street, où David Cameron avait réuni ses proches et fait préparer un souper fin pour célébrer la victoire, son directeur politique et de communication, Craig Oliver[1], rapportant qu'aucun signal négatif n'avait été perçu dans la journée. C'est seulement à minuit passé que le Premier ministre lui a envoyé un texto demandant s'il y avait des raisons de s'inquiéter : « *How worried should we be ?* » Le chancelier de l'Échiquier, George Osborne, s'était brièvement éclipsé de Downing Street vers 22 h 30 pour nous rejoindre et nous nous sommes tous congratulés même si ce dernier craignait que le résultat ne soit en réalité plus serré. Invité néanmoins à prononcer quelques mots, il a estimé que c'était « la preuve qu'on pouvait parler de l'Union européenne dans ce pays »… ajoutant en se tournant vers moi que je pouvais transmettre ce message à Paris. Je n'en ai pas eu le temps.

La suite est connue. Rentrée à la résidence de Kensington Palace Gardens où nous avions prévu un dispositif de suivi en temps réel, j'ai regardé les résultats à la télévision avec des membres de mon équipe. Premiers chiffres conformes aux attentes à Gibraltar avec près de 96 % pour le maintien. Mais rapidement plus rien ne s'est passé comme prévu car même dans les villes où le « IN » l'emportait la marge était moins importante que prédite. Et le tonnerre a éclaté vers 1 heure du matin à Sunderland, ville du Nord-Est industriel où est situé le complexe de Nissan premier employeur local et où le « OUT » l'a largement

---

1. Craig Oliver, *Unleashing Demons : The Inside Story of Brexit*, Hodder & Stoughton, 2016.

emporté contre toute attente. La scène des embrassades exaltées des vainqueurs est passée en boucle au petit matin. J'ai décidé d'aller dormir une heure, de mettre le réveil à 3 heures et de me rendormir si les résultats étaient rassurants. Ils ne l'étaient pas. Même si Paola, ma jeune collaboratrice en charge des dossiers européens, tentait de nous rassurer en faisant valoir que les résultats de Londres et de Manchester n'étaient pas encore tombés, la partie était terminée. Paul, mon chef de cabinet, a débarqué vers 5 heures du matin en *black cab* dont le chauffeur, un Remainer, lui a avoué ne pas avoir voté en pensant que le oui allait l'emporter. Sur ces entrefaites est arrivée la sénatrice Fabienne Keller, vice-présidente de la commission des Affaires européennes, qui avait accepté de passer la nuit dans le journal télévisé de Sky News et d'y commenter, notamment aux côtés de Stanley Johnson, le père de Boris, arborant ses convictions environnementales et surtout européennes sur son tee-shirt, les résultats d'un point de vue français. Le choc était fort, le café et les croissants amers.

La stupeur était plus grande encore chez la majorité des Britanniques qui s'étaient endormis confiants. Alors que les Brexiters n'en croyaient pas leurs oreilles, certains de leurs compatriotes, Remainers, pourtant peu réputés pour leur sensibilité, ont pleuré. Le matin, beaucoup, y compris parmi les soi-disant vainqueurs, avaient la mine défaite.

La semaine suivante, les think tanks ont fonctionné à plein régime, organisant un petit déjeuner matinal quotidien dans un club ou un autre pour essayer de comprendre. En fait, pendant plus de trois ans, les Britanniques se sont efforcés de comprendre, se repassant incessamment le film en se demandant ce qu'il s'était passé, comment on en était arrivé là, « WTF[1] » (*What the fuck*) pour reprendre le titre expressif et provocateur du livre du journaliste et rédacteur politique Robert Peston. Beaucoup sont restés longtemps dans le déni, le deuil, et pour les plus courageux la résistance. Pour certains avec l'espoir d'une possibilité de revenir en arrière avec, peut-être, un second référendum sur le résultat de la négociation. Hypothèse renforcée avec la perte par Theresa May de sa majorité au Parlement et de son autorité sur son cabinet à la suite du résultat improbable des élections générales anticipées du 8 juin 2017, puis la rupture issue du séminaire de Chequers en juillet 2018, avant même les déboires à la Chambre des communes encore à quelques semaines et même quelques jours de la date de départ présumée.

Le pays est devenu celui d'un seul sujet au détriment de tout le reste : Brexit au petit déjeuner, Brexit au déjeuner, Brexit au dîner, qui prenait souvent des allures de réplique des dîners du temps de l'affaire Dreyfus en France, comme j'ai pu l'observer avec mes invités à la résidence. Les convives refaisaient le match avec les mêmes arguments, la même colère, la même intolérance. Le pays en est sorti profondément divisé : entre les nations qui le composent, les métropoles et

---

1. Robert Peston, *WTF ? : What have we done ? Why did it happen ? How do we take back control ?*, Hodder & Stoughton, 2017.

les provinces, les classes sociales, les minorités ethniques, les partis, les générations, jusqu'aux familles. Le nombre de demandes de divorce a augmenté ainsi que les brouilles entre meilleurs amis, jusqu'aux petits enfants qui ne parlaient plus à leurs grands-parents accusés de leur avoir volé leur avenir.

Les démons ont été lâchés, la xénophobie et le racisme légitimés. Les insultes outrancières, l'intimidation, les menaces de mort ont eu cours dans la rue et surtout sur les réseaux sociaux sans retenue. Les corbeaux du Net se sont déchaînés loin de toute réserve ou du fameux flegme prêté aux Britanniques. Les résidents européens ne se sont plus sentis bienvenus dans ce pays où ils vivaient parfois depuis plus de vingt ans. Certains ont déclaré que « *Londoners* », heureux et intégrés, le 23 juin 2016, ils s'étaient découverts « *Foreigners* » le lendemain. Dans ce parangon de la démocratie représentative et du fair-play admiré par le reste du monde qu'était le Royaume-Uni, dans la patrie de Burke, contempteur de la révolution de 1789 et de la folie française de la table rase, les termes d'« ennemis du peuple » ou de « saboteurs », remontant à la période de la Terreur de la Révolution française, remis à l'honneur pendant la Grande Terreur stalinienne, ont fait la une du *Daily Mail* avec les photos des accusés. Ils visaient les plus hautes autorités du pays, des ministres, des parlementaires et des juges qui jouissaient jusque-là d'un grand respect.

L'Union européenne, justement, a-t-elle bien été la cause de l'échec du référendum ou un simple et facile bouc émissaire? L'ironie est que, le jour d'après, ce fut le terme le plus recherché sur Internet : quelle était donc cette institution, ou ce « machin » pour paraphraser le général de Gaulle, qu'ils venaient de décider de quitter ? Beaucoup n'en avaient en réalité aucune idée.

Quelques années auparavant, l'Union européenne, tout en ne recueillant pas une adhésion forte, ne venait qu'au neuvième ou dixième rang des préoccupations des Britanniques. Je me souviens d'un déplacement sous présidence britannique en 2005 du Comité politique et de sécurité (COPS) de l'Union européenne, où je représentais la France, dans un avion de la RAF arrivant de Bruxelles et atterrissant sur la base militaire de Northwood. L'ambassadeur britannique, après un moment de panique en voyant flotter le drapeau européen à côté de l'Union Jack sur l'aéroport, a poussé un soupir de soulagement en remarquant qu'« heureusement cela ne se voyait pas de la rue ». C'était sans doute là le consensus implicite : que l'appartenance à l'UE ne se voie pas de la rue. Sinon tout allait bien. Le gouvernement avait d'ailleurs fait établir de manière rigoureuse et détaillée pendant deux ans une « revue des compétences » portant sur tous les domaines de la construction européenne, évidemment tombée aux oubliettes depuis, concluant que le système servait parfaitement les intérêts du Royaume-Uni. Or le lien établi par Nigel Farage entre l'Union européenne et l'immigration qui était, elle, au premier rang des préoccupations britanniques, l'a désignée comme bouc émissaire du fait de la libre circulation des travailleurs imposée par l'appartenance à l'UE et du quasi-million de Polonais dont l'arrivée avait au demeurant été encouragée par Tony Blair aussitôt après l'élargissement de l'UE. Cela a fortement joué, même si, dans les propos des partisans du Brexit, la véritable cible semblait plutôt être les Africains ou les populations de couleur en général. Or cette immigration-ci souvent originaire du Commonwealth n'avait rien à voir avec le principe de la liberté de circulation édicté par l'UE.

En tout cas, la plus grande confusion était entretenue, ouvrant la porte à tous les mensonges : ainsi les prétendues dizaines de millions de Turcs – soit la quasi-totalité du pays ! – qui allaient soudainement envahir le Royaume-Uni, au lendemain d'une adhésion qui n'était même pas à l'ordre du jour et sur laquelle Londres avait de toute façon le droit de veto. Et, coïncidence malheureuse, l'année 2015 avait été l'acmé de la crise des réfugiés en Europe.

Comment ce pays, champion et même incarnation de la mondialisation heureuse, à qui tout réussissait, doté de l'économie la plus dynamique des pays du G7 et dont la capitale était la nouvelle ville-monde après le succès des Jeux olympiques, sûre d'elle-même, à bien des égards plus créative que New York et capitale financière de l'Europe et du monde, capitale du droit et de l'arbitrage international, épicentre des médias prescripteurs pour le reste de la planète – le *Financial Times*, *The Economist*, la BBC –, siège européen des entreprises américaines, arabes, asiatiques, comment ce pays, dont l'influence avait été déterminante à Bruxelles, qui déroulait insolemment le tapis rouge aux entrepreneurs français et que Xi Jinping avait élu en octobre 2015 porte d'entrée vers l'Europe à l'orée d'une période dorée (*golden era*), a-t-il entrepris de se saborder ?

Le Royaume-Uni avait pourtant bien, comme l'avait souligné sans convaincre David Cameron, « le meilleur des deux mondes » : l'accès au marché unique qu'il avait contribué à façonner, sans le régime de circulation de Schengen ni la monnaie unique. Il venait au demeurant d'obtenir des concessions supplémentaires non négligeables de ses partenaires européens. Dans une conférence de la chambre de commerce française de Grande-Bretagne, un Anglais m'a un jour demandé l'image que m'inspirait le Brexit. Celle qui s'est imposée à moi est la scène récurrente dans Astérix et Obélix, des pirates qui ont renfloué leur navire et qui apercevant les deux héros au loin se mettent à détruire furieusement leur bateau flambant neuf. L'image suivante est celle des mêmes pirates accrochés à une planche au milieu de l'eau disant amèrement : « Et maintenant on n'a même plus besoin des Gaulois pour être ridicules. »

David Cameron qui aurait dû présider l'UE triomphalement au deuxième trimestre 2017 restera dans l'histoire comme le Premier ministre qui aura fait sortir le Royaume-Uni de l'UE « par accident », comme l'a dit un jour le speaker de la Chambre des communes à une délégation de parlementaires français. « *Accident waiting to happen* », inéluctable donc, comme l'ont affirmé certains ? Ou campagne déconnectée des réalités dès lors que le principal objectif du Premier ministre était de passer à la phase suivante : la réconciliation du parti.

Car l'ironie est que toute l'affaire du Brexit n'était en fait que l'affaire du parti Tory empoisonné par quelques europhobes virulents. David Cameron, convaincu d'avoir l'occasion de clore définitivement cette vieille querelle qui avait tant coûté électoralement aux conservateurs, a mené une sorte de campagne de second tour, en somme comme celle de Lionel Jospin en 2002. David Cameron combattait ses adversaires une main liée dans le dos, sans jamais véritablement riposter et ne comprenant pas que sa litanie abstraite, « le Royaume-Uni sera plus fort, plus sûr et en meilleure posture dans l'UE » (*stronger, safer and better off*), n'avait pas la même portée émotionnelle que les promesses des Brexiters sur la reprise du contrôle (*take back control*) ou sur le « jour de l'indépendance ». Sans compter leurs mensonges flagrants, telle l'emblématique somme de 350 millions de livres gravée sur le bus rouge conduit à travers le pays par Boris Johnson, prétendument versée chaque semaine à l'UE et censée revenir au National Health Service (NHS), le service national de santé, véritable vache sacrée au Royaume-Uni.

Cet échec était-il donc inévitable en cette ère commençante du populisme exploitant les frustrations des laissés-pour-compte de la mondialisation dans le Nord-Est et les Midlands, avec pour corollaire la défenestration symbolique des experts, dont les avis n'avaient pas plus de poids que ceux du moindre internaute, la perte de confiance dans les institutions, la confiance aveugle dans le jugement du voisin de pub ainsi que l'a révélé un sondage, les réseaux sociaux utilisés de façon plus experte et plus cynique par les partisans du Brexit – notamment à travers la société d'analyses, de captation en réalité, de données Cambridge Analytica, créée par Stephan Bannon de l'extrême droite anti-establishment américaine.

Était-ce un vote du peuple raciste ? Un réflexe identitaire face à une mondialisation incomprise ? Un vote de protestation du peuple contre les élites comme on l'a beaucoup dit ? Ou une manipulation du peuple par les élites, certaines élites ?

Cela a en tout cas été un combat entre ces dernières. Le Brexit aurait-il eu lieu sans Boris Johnson ? Cet archétype de l'intellectuel anglais, excentrique, truculent, paradoxal et sympathique, qui a légitimé aux yeux de beaucoup ce qui n'était jusque-là que la position du parti nationaliste UKIP et d'une minorité d'irréductibles *backbenchers* (députés de base), europhobes fanatiques depuis l'époque Thatcher. En réalité, tous ont été éduqués dans les mêmes universités, les mêmes écoles, avec les mêmes codes à Oxford, Cambridge et surtout au prestigieux collège d'Eton qui a formé dix-neuf Premiers ministres britanniques. Il existe justement un dessert anglais servi en été à Wimbledon et dans les clubs, qui porte le nom évocateur d'« *Eton mess* » (le bazar ou la pagaille d'Eton), qui résulte selon la légende d'une pavlova qui se serait renversée lors d'un pique-nique et que les élèves auraient redressée à la va-vite, sens dessus dessous. Un méli-mélo de fraises, de meringue et de crème fouettée (au demeurant plutôt savoureux d'un strict point de vue gourmand). Le parallèle est aisé avec le Brexit à en juger par la confusion régnant encore quant à sa signification et à son contenu plus de quatre ans après le référendum.

Les Brexiters appuient leur europhobie viscérale sur la nostalgie d'un pays et d'un monde qui n'existent plus : l'Empire britannique régnant sur toutes les mers ; le Commonwealth supposément soudé autour de la reine, alors que les Australiens et les Néo-Zélandais regardent vers Pékin et les Canadiens vers Washington ; l'anglicité (*Englishness*) de ceux qui se revendiquent Anglais et non Britanniques, ou l'anglosphère préconisant de faire venir des « émigrants australiens compétents en lieu et place des Européens sous-qualifiés » (*sic*). Beaucoup de Britanniques ont la conviction que la Grande-Bretagne a été la seule à résister à l'invasion nazie, qu'elle a gagné seule la Seconde Guerre mondiale et que l'esprit de Dunkerque ou du Blitz continuera de sauver le pays envers et contre tout. S'ajoute l'illusion d'une « relation spéciale » avec Washington alors que le Royaume-Uni est au mieux le partenaire junior d'un pays et d'un dirigeant dont il n'a pas partagé les valeurs pendant quatre ans. Ce dernier point a été illustré du côté britannique par les grandes manifestations de jeunes à Londres contre une visite d'État de Donald Trump en 2017 et le refus du speaker des Communes de recevoir ce dernier au Parlement de Westminster. Après l'interdiction de nouvelles manifestations hostiles, Londres fut alors survolé par un gros bébé rose gonflé à l'hélium, avec une grande mèche blonde, en couche-culotte attachée par une épingle à nourrice, tandis que les entretiens officiels étaient confinés à Windsor ou à Chequers, la résidence de campagne des Premiers ministres. Du côté américain, les conditions et le chantage incessants de Trump pour la signature d'un accord de libre-échange avec Londres ainsi que l'appui bi-partisan du Congrès américain a l'Irlande, avec qui existe pour le coup une véritable relation spéciale, traduisent l'inégalité de cette relation.

Malgré cela, les Brexiters entretiennent l'illusion que le choix de Churchill entre le grand large et le continent est toujours pertinent. En tout cas, le Royaume-Uni a perdu le rôle de pont entre l'Amérique et le continent européen, et la Grande-Bretagne planétaire ou globale (*Global Britain*) tant vantée, appelée à remplacer l'appartenance à l'UE, est un vœu pieux dès lors que l'Allemagne a trois ou quatre fois plus d'échanges que le Royaume-Uni avec la Chine, l'Inde et bien d'autres pays. Preuve au demeurant que rien n'empêchait le Royaume-Uni, membre de l'UE, d'être une nation commerçante performante, et nul ne voit par quel miracle cela s'améliorerait en quittant l'Union européenne. Quant à la politique étrangère, accaparé par le Brexit, Londres n'a plus guère eu le temps ou les moyens de la mettre en acte.

L'entourage du nouveau président américain laisse clairement entendre qu'il n'y aura pas de relations spéciales avec le Royaume-Uni. Considérant que le Brexit est une erreur historique, et fortement attaché, du fait notamment de ses origines irlandaises, au respect de l'accord du Vendredi saint, Joe Biden avait déjà déclaré sans ambiguïté qu'il n'accepterait jamais un accord de libre-échange avec le Royaume-Uni si Boris Johnson cherchait à contrevenir à cet accord dans sa négociation avec l'Union européenne. Joe Biden avait en outre porté un jugement très sévère sur Boris Johnson qualifié de « clone physique et émotionnel de Donald Trump ». Il a enfin laissé dire par ses équipes, qui le surnomment Mini-trump, qu'il n'oublierait pas les propos racistes à l'encontre de Barack Obama dont l'héritage partiellement kenyan aurait expliqué, selon Boris Johnson, son aversion de l'Empire britannique (et donc... du Brexit). Le moins qu'on puisse dire est que les relations entre Londres et Washington ne commencent pas sous les meilleurs auspices.

Les Européens et les institutions européennes ont été réduits au silence pendant la campagne. Bruxelles était tétanisé et la Commission, qui s'est prudemment abstenue de prendre de nouvelles directives pour prévenir la critique récurrente d'inflation régulatrice, est restée coite. Les Allemands, à l'exception peut-être du ministre des Finances Wolfgang Schaüble, ont observé, comme me l'a confié mon homologue à Londres, une hyperprudence pour ne pas être accusés de chercher à obtenir avec l'UE ce qu'ils n'avaient pas obtenu avec la Seconde Guerre mondiale (*sic*). Les Français, considérés comme des « capitulards » face au IIIe Reich, étaient accusés d'être prêts à capituler de nouveau face au IVe Reich (re-*sic*) que constituait une Union européenne sous domination allemande.

Propos que j'ai lus et entendus de nombreuses fois en réaction aux positions que je tenais à la télévision, à la radio ou dans les journaux, soulignant le souhait de la France de voir le Royaume-Uni rester à nos côtés dans l'Europe parce qu'un départ serait une solution perdant-perdant dès lors que la France et le Royaume-Uni étaient des pays jumeaux : même population, même statut dans le monde, puissances nucléaires, membres permanents du Conseil de sécurité et dotés de capacités de projection militaire. Un pays qui partage nos valeurs et avec qui nous avons combattu côte à côte depuis deux cents ans. Fait significatif : la France et le Royaume-Uni rédigent conjointement 70 % des résolutions du Conseil de sécurité à l'ONU, où nous serons seuls désormais à porter la voix des 450 millions de citoyens européens. Mais les Anglais ne supportent pas de se voir dicter leurs positions, comme l'a montré l'effet plutôt négatif de l'assertion de Barack Obama selon laquelle le Royaume-Uni serait, en cas de Brexit, à l'arrière de la queue pour la négociation d'un accord de libre-échange. Quant au traditionnel *French bashing*, il revient au galop dans les périodes sensibles et nous a incités aussi à la prudence.

Nous serons tous perdants en effet car, face aux États-continents, ces géants qui dominent aujourd'hui – États-Unis, Chine, et demain peut-être : Russie, Inde, Brésil –, il est indispensable d'opposer une masse critique, qu'il s'agisse de négociations commerciales ou d'influence. Jusqu'à la pandémie de Covid qui a fait naître une véritable solidarité entre Paris et Berlin, le tandem a fonctionné très difficilement. Jamais les relations entre Paris et Berlin n'avaient, en effet, été aussi tendues que depuis l'effacement de Londres. La relation triangulaire offrait la capacité de jouer, notamment sur les questions de défense et de sécurité, avec les Britanniques pour attirer les Allemands et inversement. Sur le plan géopolitique, outre ses moyens militaires, le Royaume-Uni a des relais dans des pays africains et dans le Commonwealth, comme la France dans les pays francophones.

Il faut être réaliste : la taille du Royaume-Uni, comme celle de la France, puissances moyennes qui disposent naturellement d'autres atouts, équivaut à un peu plus de la moitié de la province chinoise du Guangdong. Il n'y a donc pas d'autre solution que de construire l'Europe. Les pays européens, en dépit d'un euro-scepticisme croissant, ont compris cette impérieuse nécessité au lendemain du vote britannique. De fait, loin de créer l'effet domino redouté, la sortie du Royaume-Uni a resserré les rangs. L'on a observé en effet, selon une caricature virale sur Internet en 2016, un *domino defect* qui a vu le Royaume-Uni tomber à plat, seul, du mauvais côté alors que les autres sont restés debout.

L'histoire du Brexit pourrait être racontée par les caricatures, témoignage toujours vivace d'un génie britannique aussi ancien qu'indubitable. L'humour toujours, même s'il est plutôt noir en ces temps de Brexit.

Du fait de la cohésion européenne, la négociation s'est révélée inégale. Le Royaume-Uni convaincu du talent de ses négociateurs et de sa capacité traditionnelle à diviser pour régner était certain d'« obtenir le beurre et l'argent du beurre » (*to have its cake and eat it*), comme cela figurait dans les notes prises par une jeune stagiaire et captées par l'objectif d'un camera-man à la sortie d'une réunion au Foreign Office. Un photomontage de Theresa May téléphonant à Sky News pour annoncer qu'elle résiliait son abonnement mais souhaitait conserver les services de la chaîne résume parfaitement cet état d'esprit. À Michel Barnier et aux vingt-sept répétant sur tous les tons que le Royaume-Uni ne pouvait avoir un meilleur traitement à l'extérieur qu'à l'intérieur du club, que le *cherry picking* (le choix des plus belles cerises) était impossible et qu'il ne saurait y avoir de droits sans obligations, Theresa May a continué, comme dans le sketch de Fernand Reynaud, de demander deux croissants[1]…

Un certain ministre britannique a dénoncé sans vergogne les méthodes de « gangsters » des dirigeants européens pour leur volonté de punir le Royaume-Uni.

L'intention de punir le Royaume-Uni, prêtée aux Européens et surtout aux Français, est une pure invention des Brexiters, qui agissent comme si on leur avait demandé de partir et prétendent qu'on veut du mal aux Britanniques alors qu'ils se sont infligé eux-mêmes cette punition. Ils ne semblent pas parvenir à comprendre que l'Union européenne est fondée sur des règles de droit qu'elle n'entend pas modifier au profit de celui qui a décidé de la quitter. En outre, paradoxalement, les dirigeants britanniques, qui passaient leur temps à expliquer avoir rejoint la communauté européenne exclusivement pour le « marché commun », devenu « unique », et rejetaient tous les autres volets, ont décidé après le référendum de quitter ce même

---

1. Fernand Reynaud demande au serveur dans un café un café crème et deux croissants. Le serveur lui répond qu'il n'y a plus de croissants. Il dit que ça ne fait rien et demande un café noir avec deux croissants, « Mais, monsieur puisqu'on vous dit qu'il n'y a plus de croissants. » La scène se répète avec un verre de lait, un chocolat… avec deux croissants.

marché unique tout en essayant dans un premier temps de s'accrocher le plus possible aux autres politiques, en matière de justice, de sécurité et de défense notamment, qui leur sont utiles, et espéraient même adhérer à de nombreux programmes au risque de devoir respecter des règles qu'ils n'auront pas contribué à élaborer.

Ceux qui ne sont pas des fanatiques du Brexit savent qu'il n'y a pas de bon Brexit, que cela coûtera cher au pays en termes d'influence et que les membres du sacrosaint peuple qui ont écouté les sirènes des Brexiters seront ceux qui souffriront le plus, surtout si cela devait se traduire par un « Singapour sur la Tamise », un havre fiscal, rêve des plus extrémistes, même si, pandémie du coronavirus aidant, ce n'est pas aujourd'hui l'option la plus probable. Peut-être les populations les plus déshéritées auraient-elles dû prêter plus d'attention au slogan « *Brexit is for the Rich* » pour ne pas en subir la douloureuse réalité. De fait des chefs d'entreprise, plutôt rares, ardents militants du Brexit à l'instar de James Dyson, le fabriquant d'aspirateurs, se sont empressés de transférer leur siège hors du Royaume-Uni, à Singapour en ce qui le concerne.

En attendant, il n'y aura jamais eu pendant ces trois années floues autant de drapeaux étoilés européens déployés dans les rues de Londres et d'autres grandes villes du Nord par ceux, et notamment les jeunes, qui refusaient ce divorce depuis ce jour fatidique de décision de sortie.

Si, de guerre lasse, minés par l'incertitude, soucieux surtout de barrer la route à l'épouvantail travailliste Corbyn – resté confit dans une idéologie des années soixante-dix –, les Britanniques ont voté majoritairement pour Boris Johnson – et le Brexit car le mot d'ordre de sa campagne était dénué d'ambiguïté (*Get Brexit done*) –, tout n'était pas réglé dans la relation avec Bruxelles. La deuxième phase des négociations, ralentie par la crise sanitaire, a suscité à l'automne 2020 de nouvelles acrimonies.

Durant la première phase des négociations, conscients d'être devenus la risée (*laughing stock*) du monde du fait de leur indécision et de leurs incohérences, les Britanniques avaient fait preuve d'une certaine réserve vis-à-vis de l'UE. Avec l'élection d'un homme apparemment fort et charismatique en la personne de Boris Johnson, ils ont retrouvé de leur superbe pour exiger de nouveau un traitement privilégié, le beurre et l'argent du beurre. Et un ancien Remainer de dire que « le Royaume-Uni n'est pas un État tiers, ni un État comme un autre : nous ne sommes pas Malte ou l'Autriche »... Oubliant une fois de plus que personne ne leur a demandé de partir, que leur décision emporte des conséquences et que la solidarité va aux États membres du club, grands ou petits. Quant à Boris Johnson, récidiviste, il a tenté un énorme coup de bluff en reniant sa signature et la parole de son pays et en remettant en cause « l'accord fantastique », selon ses termes hyperboliques, qu'il avait conclu un an auparavant.

Mais il a fini, à la veille de Noël, tirant les conclusions de l'élection de Joe Biden qui ne lui est pas favorable, tandis que des milliers de camions bloqués dans le Kent donnaient un avant-goût d'un Brexit sans accord, par faire des concessions, jugées auparavant inacceptables, sur la concurrence et la pêche pour éviter le choc d'un *no deal*, tout en considérant que l'honneur était sauf dès lors qu'il pouvait affirmer que le Royaume-Uni recouvrait sa souveraineté sur ses eaux, sa monnaie et ses lois.

Avec ses spécificités toutes britanniques, l'étonnement qu'il a suscité, le Brexit, qui, un peu comme la balle du film *Match Point* de Woody Allen, avec Londres pour cadre, aurait pu tomber de l'autre côté du filet, aura en réalité été le premier coup de gong de la crise de la démocratie représentative venue d'un mouvement de fond qui courait sous les radars dans tous nos pays.

Les commentateurs peuvent en analyser *a posteriori* les signaux faibles pour affirmer que c'était évident ou inéluctable, ce n'était pas le cas à l'époque. L'élection de Donald Trump, hautement improbable encore le soir même – analysée le lendemain comme la révolte des laissés-pour-compte de la mondialisation, révolte récupérée par un promoteur immobilier milliardaire –, en aura été le deuxième épisode. Les similitudes étaient très fortes : l'électorat frustré, les méthodes, y compris le recours à Cambridge Analytica, le glissement ultraconservateur du Parti républicain aux États-Unis comme du Parti conservateur au Royaume-Uni amplifié par les médias contrôlés par Rupert Murdoch et l'exploitation de ces frustrations par un dirigeant populiste. Nous avions accordé un intérêt tout relatif à la progression du populisme en Hongrie ou en Pologne, pays que l'on juge généralement dépourvus de solides traditions démocratiques du fait de leur histoire et pour lesquels on a inventé le néologisme

« illibéral ». Plus frappants : la conjonction des populismes de gauche avec le mouvement Cinq étoiles, et d'extrême droite avec la Ligue en Italie, puis les gilets jaunes, plus anarchiques et violents car refusant d'être canalisés par un quelconque chef même issu de leurs rangs, apparus dix-huit mois après l'élection d'un jeune président centriste. Ces mouvements populistes ont des ingrédients et des caractéristiques très similaires : manifestations qualifiées d'antisystème, exigence d'une imaginaire démocratie immédiate, sans médiation, où l'on peut ne pas voter mais exiger quand même le départ de dirigeants ou la « désélection [1] » de parlementaires élus.

Ce rejet de la compétence et de l'expérience politiques, irréel et nocif, rend difficile le gouvernement d'un peuple roi, pour lequel a été inventé un autre néologisme très parlant : la peuplecratie[2]. Il est important d'en tirer les leçons pour nos démocraties et pour l'Union européenne, qui reste un échelon pertinent pour peser dans le monde, d'autant que les populistes en sourdine pendant la gestion de la pandémie du Covid risquent de revenir sur la scène et d'exploiter les inégalités et frustrations résultant de la crise économique consécutive.

Au plan interne, l'unité du Royaume-Uni pose question. Les risques de sécession de l'Écosse et de réunification de l'Irlande resteront comme une épée

---

1. Au Royaume-Uni, un parlementaire qui ne représente plus les vues de sa base peut être désélectionné par la section locale du parti.

2. Ilvo Diamanti et Marc Lazar, *Peuplecratie. La métamorphose de nos démocraties*, Gallimard, 2019.

de Damoclès. L'Écosse qui avait voté en majorité
« remain » entendait rester dans l'Union européenne
coûte que coûte. Le Brexit offre une nouvelle chance
pour un référendum sur l'indépendance d'autant que
la gestion de la crise sanitaire a détérioré les relations
entre Londres et Édimbourg et que, pour la première
fois, un sondage, à lire bien sûr avec prudence, donnait
en octobre 2020 58 % en faveur de l'indépendance.
L'Irlande fut le point d'achoppement des négociations sous Theresa May car c'est là que passera la frontière avec l'UE et que celle-ci doit être contrôlée pour
éviter les trafics. Partant, il y avait deux options envisageables : une frontière terrestre entre le Nord et le
Sud ou celle, maritime, entre l'Irlande du Nord et la
Grande-Bretagne, dont Theresa May affirmait qu'aucun
Premier ministre britannique ne l'accepterait jamais
et qu'a pourtant approuvée Boris Johnson en octobre
2019 pour conclure la partie. Cela n'a pas empêché
celui-ci de revenir dessus lors du dernier cycle de négociations avec l'Union européenne.

Sur la scène internationale, à l'heure du retour
des rêves d'empires dirigés par des hommes forts, en
Chine, en Russie, en Inde ou en Turquie, de l'unilatéralisme des États-Unis et de la prédominance des
enjeux globaux, les Britanniques devront surmonter
bien des contradictions dans leurs postures internationales. Ils seront condamnés à des arbitrages entre,
d'une part, la nécessité de développer des échanges
commerciaux rendus nécessaires par le divorce avec
l'Union européenne sur la base d'accords de libre-
échange, et, d'autre part, la volonté de promouvoir

une politique fondée sur des principes ou des valeurs qui antagoniseraient ces mêmes pays dont ils auront besoin. Une illustration, prémonitoire, de ces contradictions futures en a été donnée lorsque le gouvernement chinois a annulé en février 2019 la visite à Pékin du chancelier de l'Échiquier venu discuter un accord commercial, en rétorsion des déclarations hostiles du ministre de la Défense décidant d'envoyer le porte-avions *Queen Elizabeth* pour « faire respecter la liberté de navigation en mer de Chine méridionale ». La question de Hong Kong est également emblématique à cet égard : Londres s'est d'abord montré circonspect en réaction à l'adoption de la loi de sécurité nationale puis a essuyé les foudres de Pékin en facilitant l'octroi de la nationalité britannique à trois millions de Hongkongais.

La taille du pays et du marché compte. C'est particulièrement vrai avec Pékin, mais cela risque de l'être tout autant avec Washington même du temps de Donald Trump si désireux d'aider Boris Johnson par détestation de l'Union européenne qualifiée d'ennemie et à laquelle il voulait s'attaquer après l'accord commercial provisoire signé en janvier 2020 par Washington et Pékin. Les antagonismes des deux capitales concernant la 5G donnent un avant-goût de ce que sera la marge de manœuvre de Londres qui a déjà procédé à un revirement de sa position sur le sujet. L'on pourrait parodier les propos de l'ancien secrétaire d'État américain Dean Acheson au lendemain de l'expédition ratée de Suez (« le Royaume-Uni a perdu un empire mais n'a pas trouvé de rôle ») : le Royaume-Uni a perdu son appartenance à l'Union européenne, il lui reste à trouver un rôle dans le monde.

Le Royaume-Uni a donc choisi une voie solitaire et non solidaire à ce moment de recomposition du monde. La puissance et la capacité d'agir des États passent généralement par l'appartenance au maximum d'enceintes décisionnelles à géométrie variable, ONU, OTAN, G20, UE, et non par l'observation du dehors. Ceux qui n'y sont pas cherchent généralement à y entrer, il est inédit que ceux qui y sont décident d'en partir...

L'esprit du Brexit qui consiste à se démarquer systématiquement des Européens au nom d'un mythique exceptionnalisme britannique a même affecté la lutte contre la pandémie de Covid. Dans un premier temps, obsédé par la réalisation du Brexit, Boris Johnson n'a pas prêté attention à la crise qui se profilait, allant jusqu'à ne pas présider les cinq premières réunions de crise dénommées Cobra[1], l'équivalent de nos conseils de Défense. Son premier réflexe a été le refus de protéger la population par le confinement pour créer une immunité collective, option qui aurait, selon une étude de l'Imperial College, provoqué des centaines de milliers de morts ; et pour lui-même de se croire invulnérable en se vantant de serrer les mains de tout le monde, ce qui l'a conduit directement aux services de soins intensifs du NHS. Il en est heureusement sorti guéri en découvrant à l'occasion l'extrême compétence et dévouement des médecins et infirmières, dont beaucoup d'origine étrangère,

---

1. Cabinet Office Briefing Room A.

vilipendés par les Brexiters durant la campagne de 2016. Enfin dans le même esprit, le gouvernement britannique a préféré ignorer une commande européenne groupée de respirateurs pour en demander à Trump qui en manquait tout autant, et au fabriquant d'aspirateurs Dyson, requête demeurée sans suite. *In fine,* le nombre de décès a été le plus élevé d'Europe avec l'Italie.

De même que la pandémie du coronavirus est venue perturber la campagne électorale de Donald Trump, elle a interféré avec les ambitions de Boris Johnson de réaliser son « fantastique Brexit » d'ici à la fin de l'année 2020. La gestion hasardeuse de la crise par les deux dirigeants populistes a rejailli aussi sur leur popularité.

Le nouveau contexte stratégique et économique dans lequel a pris effet le Brexit le 1er janvier 2021 aura des conséquences particulières pour le Royaume-Uni.

Par ce qu'elle a révélé des relations entre les différents pays, la pandémie du SARS-CoV-2 a mis en lumière plus qu'elle n'a modifié les équilibres mondiaux, qui correspondent à des tendances lourdes déjà à l'œuvre depuis quelques années.

Au plus fort de la tempête, beaucoup ont évoqué la perspective du monde de demain, d'un nouvel ordre mondial. Est-ce si sûr ? Chacun a tendance à voir midi à sa porte et la preuve de la pertinence de ses croyances antérieures. Pour les anti-libéraux c'est une crise de la mondialisation et du néolibéralisme, il faudrait donc revenir en arrière et assurer une forme d'autarcie et de protectionnisme. Les partisans de la décroissance et de la frugalité heureuse auront peut-être moins de chance de convaincre alors que la crise sanitaire sera suivie d'une crise économique pire que celle de 2008. Pour les souverainistes, c'est la conviction qu'il faut fermer les frontières nationales. Pour les écologistes, la crise est liée à l'action nocive de l'homme sur la nature, au réchauffement climatique, à la déforestation, alors que les virus ont existé de tout temps dans la nature : il y a eu des pandémies meurtrières au cours des siècles précédents, qui ont vu Périclès mourir de la peste au IVe siècle avant Jésus-Christ et la moitié de la population européenne périr de la peste noire au XIVe siècle. Plus près de nous, ont frappé la «grippe» de Saint-Pétersbourg, peut-être le premier Covid entre 1889 et 1894, et la grippe espagnole de sinistre mémoire, il y a juste un siècle, ou encore plus récemment la polio dans les années quarante et cinquante, la grippe asiatique en 1957 et celle de Hong Kong en 1969, ces deux dernières mystérieusement évanouies de nos mémoires.

Cette nouvelle pandémie est liée non à une exploitation par l'homme moderne de la nature mais au contraire à une pratique ancestrale, à savoir l'utilisation d'animaux sauvages pour la médecine traditionnelle – pratique qui désole les jeunes Chinois en ce qu'elle offre de leur pays une image archaïque. Cela ne signifie pas qu'il faille se désintéresser de la protection de l'environnement et de la biodiversité, bien au contraire. Et, d'ailleurs, la prochaine conférence internationale sur ce thème aura lieu dans le sud de la Chine, à Kunming, en 2021.

La pandémie a illustré la faillite du multilatéralisme, déjà pendante. La coopération internationale a été quasiment inexistante, les institutions internationales notamment l'OMS, accusée d'être sous influence de la Chine, n'ont pas été jugées à la hauteur. Le Conseil de sécurité a été aux abonnés absents, confirmant son impuissance au cours de ces dernières années à régler des crises ou même à adopter le moindre texte résolutoire.

Quant à l'UE, même si la santé publique n'entrait pas dans ses compétences, le sentiment général est qu'elle n'a pas joué au début son rôle de protection et de coordination. Les États sont revenus sur le devant de la scène, ce qui n'est pas illégitime quand, à l'instar de l'engagement militaire, il s'agit d'une question de vie ou de mort pour leurs citoyens. Les frontières se sont fermées. Toutefois, l'absence de solidarité réelle a été flagrante et « la guerre des masques » a illustré ce moment peu glorieux du chacun pour soi.

C'est néanmoins une crise globale d'ampleur sans précédent, qui a vu plus de la moitié de l'humanité se confiner puis plonger dans une crise économique un temps comparée à celle de 1929. La deuxième phase appartient donc maintenant à l'Union européenne qui doit faire la preuve de sa pertinence. C'est pour elle une question existentielle.

Sinon, l'Union européenne ou, pire, ses États membres, divisés, en seront réduits à choisir leur camp entre les deux géants : Washington ou Pékin.

Les deux puissances sont maintenant face à face. On va jusqu'à évoquer un nouveau type de guerre froide marquée notamment par un découplage des économies voulu par Trump, même si la situation n'a rien à voir avec la confrontation américano-soviétique compte tenu de l'interdépendance des économies chinoise et américaine et surtout de la part croissante de la Chine dans l'économie mondiale.

Depuis la visite de Kissinger en Chine en 1972, jamais les relations sino-américaines n'auront été aussi exécrables. Les États-Unis, avec Donald Trump déclarant une guerre commerciale et technologique à la Chine, semblent vraiment tombés dans le « piège de Thucydide[1] » décrit par l'historien grec dans *La Guerre du Péloponnèse*[2]. La paranoïa de Washington dans le rôle de Sparte, puissance confirmée face à la puissance montante, Pékin dans le rôle d'Athènes, a conduit à un virulent conflit politique pourtant évitable.

Le paradoxe est que si la puissance et l'influence des États-Unis paraissent en déclin malgré la suprématie durable du dollar – « leur monnaie, notre problème », en inversant la formule de John Connally le secrétaire au Trésor de Richard Nixon –, leurs moyens militaires gigantesques (un budget militaire équivalent à celui de toutes les autres nations) et leur capacité d'innovation technologique, ce n'est pas tant à cause de la Chine que de leur propre président. Décrétant d'emblée « *America first* » (l'Amérique d'abord), Donald Trump a décidé de se désengager des différents théâtres d'opération et de renoncer à être le gendarme du monde, ce qui est concevable, mais il a aussi choisi de mépriser ses alliés européens, considérés comme nuisibles aux États-Unis.

---

1. Graham Allison, *Vers la guerre. L'Amérique et la Chine dans le piège de Thucydide*, Odile Jacob, 2019.
2. Thucydide, *La Guerre du Péloponnèse*, Les Belles Lettres.

Il est allé à tort ou à raison à l'encontre de la politique d'intervention des démocrates, à l'époque où la secrétaire d'État, Madeleine Albright, voyait dans les États-Unis « la nation indispensable » pour défendre la démocratie sur toute la planète, en s'appuyant sur les alliés de l'Amérique. En se désintéressant et se retirant du Moyen-Orient, Donald Trump a laissé le champ libre à la Russie. Il a sans doute ses thuriféraires dans la Rust Belt et le Middle West américain mais, au Moyen-orient comme en Afrique, les États-Unis ont perdu en influence et en *soft power*. Ces hommes forts à la tête d'empires qui veulent aussi « *make China* (ou) *Russia great again* » y sont plus populaires que Trump. À tel point que Moscou, selon les mots d'un ambassadeur de la région, est devenue la nouvelle Mecque des dirigeants du Moyen-Orient à la faveur de sa politique syrienne, qui en fait un interlocuteur incontournable sur la scène internationale. Et Poutine administre la preuve que, contrairement aux présidents américains, il est loyal et ne lâche pas ses amis.

Le président russe a, par ailleurs, réussi, sur le modèle chinois mais en utilisant des moyens sécuritaires plutôt que financiers, à réunir à Sotchi en octobre 2019 un premier sommet Russie-Afrique avec quarante-six chefs d'État et de gouvernement. Pékin et Moscou acquièrent ainsi une importante clientèle et des soutiens de leurs positions à l'ONU, en concurrence directe avec les Occidentaux. Il y a vingt ans, le sommet France-Afrique constituait la seule enceinte de ce type avec l'Afrique, et nos candidats recueillaient les voix des Africains francophones comme les Britanniques celles des anglophones.

Surtout, les deux anciens empires, qui ont toujours entretenu des relations de méfiance, vivent aujourd'hui une lune de miel sans précédent depuis quatre cents ans, lorsque la Russie a été la première à ouvrir une représentation étrangère en Chine. Ce n'est pas une alliance en bonne et due forme, Pékin rejetant les systèmes d'alliances. Celle-ci serait en tout état de cause asymétrique dans la mesure où, contrairement à la Russie, la Chine est une véritable puissance géoéconomique, mais Xi Jinping, dans une formule inédite, a été jusqu'à déclarer que Poutine était son « meilleur ami ». Le nouveau tsar de toutes les Russies et le nouvel empereur de Chine se comprennent bien et leurs intérêts sont similaires sur la scène internationale face aux Occidentaux. Et certains d'ironiser à Moscou et à Pékin que les Russes et les Chinois pourraient ériger ensemble au nom de leur amitié une statue à l'effigie de Donald Trump. Henry Kissinger conseillait au président américain d'entretenir séparément avec Pékin et Moscou des relations meilleures que ces deux capitales entre elles. Le moins qu'on puisse dire est que c'est raté. Symboliquement, là où les deux pays se sont combattus sur l'Oussouri il y a cinquante ans, ils organisent aujourd'hui des exercices militaires communs et le partenariat se renforce dans d'autres domaines stratégiques. Pékin et Moscou sont plus que jamais unis dans leur volonté de contrer à l'ONU les initiatives des Européens lancées au nom du droit humanitaire, comme en Libye puis en Syrie.

Ce qui a changé aujourd'hui, et plus encore depuis que Xi Jinping a consolidé son pouvoir et durci le contrôle de sa population, c'est que la Chine, deuxième puissance mondiale, forte de ses succès économiques, n'accepte plus de recevoir de leçons des Occidentaux. Nous avons du mal à comprendre que ce qui est pour nous la défense normale de nos valeurs et de la supériorité de la démocratie est aux yeux des dirigeants chinois purement et simplement de la propagande et de l'ingérence dans leurs affaires intérieures. Encore sur la défensive à l'époque de Hu Jintao, ils sont désormais à l'offensive et n'ont donc pas d'état d'âme à nous rendre la pareille, avec maladresse et brutalité de la part de ces « loups guerriers » ultranationalistes et arrogants qui n'ont pas hésité, au grand dam de leurs aînés parfois, à bousculer les usages diplomatiques. Simplement soucieux naguère de faire respecter leur propre modèle de gouvernance et de développement, les Chinois n'étaient ni messianiques ni prosélytes. Le deviendront-ils ? Certes, depuis 2010, certains évoquaient, en Occident surtout, le remplacement du « consensus de Washington » (règles libérales du FMI et de la Banque mondiale pour l'aide au développement, conditionnées à la bonne gouvernance des États récipiendaires) par le « consensus de Pékin » (le développement sans la démocratie) de nature à séduire les pays en développement, en Afrique en particulier, dans lesquels la Chine investissait de plus en plus. Mais la Chine était plutôt un modèle attractif par l'exemple et les Européens n'avaient jamais constitué une cible de la propagande chinoise, même au plus fort de la Révolution culturelle, où les partis maoïstes européens autoproclamés suscitaient la plus vive méfiance à Pékin.

La pandémie du SARS-CoV-2, dont la Chine est pourtant à l'origine, a fourni une occasion jugée propice. Fière d'avoir réussi à la juguler par des méthodes radicales, Pékin s'est présenté comme un généreux et efficace pourvoyeur d'épidémiologistes, masques et autres matériels médicaux, à des États européens et même américains dont l'impréparation et la gestion chaotique étaient flagrantes. Les Chinois ont eu beau jeu de pointer les défaillances occidentales, ils ont surévalué leur main en soulignant la supériorité de leur système caractérisé par la discipline, le sens de la collectivité, le confucianisme et le civisme. C'est, au demeurant, une grande partie de l'Asie – y compris des sociétés plus ou moins démocratiques, comme la Corée du Sud, Hong Kong, Taïwan et Singapour, admirées pour leur gestion de la crise – qui raisonne ainsi en mettant l'accent sur ces valeurs asiatiques contre l'individualisme prêté aux Occidentaux. Ces pays, à l'inverse de la Chine, ne les associent toutefois pas à un quelconque régime politique.

Les autorités de Pékin considèrent, pour leur part, que cela valide la supériorité de leur régime autoritaire et que ces valeurs sont incarnées par le Parti communiste, qui se confond totalement dans la vision de Xi Jinping avec la Chine. Il ne s'agit en aucun cas d'un idéal communiste mais, en interne, d'un contrôle renforcé, de type léniniste, qui s'analyse avant tout comme une méthode de conquête et de maintien au pouvoir. Nous sommes très loin de l'effet Tchernobyl prédit dans la presse occidentale au début de la pandémie car la perestroïka et la glasnost (transparence) qui en ont résulté sont analysées à Pékin comme les causes de l'explosion de l'Union soviétique et de la disparition du Parti communiste. Dieu, Mao ou l'Empereur jaune en garde la Chine ! Lorsque Xi Jinping était directeur de l'école du Parti, la chute de l'URSS était étudiée comme un cas d'école, et la conclusion était de tout faire pour éviter cette situation.

Sur la scène internationale, la Chine devrait poursuivre sa logique de puissance et la préservation de ses intérêts présents désormais dans la majeure partie du globe. L'ambitieux projet des nouvelles routes de la soie restera au cœur de sa vision internationale même s'il doit ralentir momentanément le rythme du fait de la crise économique post-Covid. L'implication croissante de Pékin dans le système des Nations unies, que les Occidentaux qualifient d'entrisme, se poursuivra également, ce qui n'est pas illégitime, quoi qu'on en dise, sauf en ce qui concerne Interpol dont le patron chinois a été rappelé à Pékin dans des circonstances peu claires et condamné pour corruption. C'est une évolution rationnelle pour la deuxième puissance mondiale, longtemps aux marges du système trusté par les Occidentaux et qui a fortement augmenté ses contributions, à la demande de ces mêmes Occidentaux qui émettaient en outre régulièrement le vœu qu'elle exerce davantage de responsabilités.

Nous n'avons plus le monopole de la puissance. La part de l'Europe se restreint en termes démographiques comme de volume de PNB dans la richesse mondiale, et donc en termes d'influence. Comme le dit si bien le politologue Bertrand Badie : « Nous ne sommes plus seuls au monde[1]. » La Conférence annuelle sur la sécurité de Munich, connue comme le Davos de la défense, en février 2020 avait bien fait prendre conscience de ce glissement, en choisissant pour thème la désoccidentalisation du monde ou le déclin de l'Occident – *Westlessness* –, mais cette réflexion opportune fut vite oubliée avec l'arrivée de la pandémie en Europe.

Or nous nous croyons toujours au centre du monde et décrétons que les autres pays sont isolés. Le G7 s'étiole et se vide de son sens dès lors que, même sans compter la désaffection de Donald Trump pour ce format, dès le milieu des années vingt, selon les projections de la Banque mondiale et du FMI, la Chine sera la première puissance économique mondiale, le Royaume-Uni et la France reculeront respectivement à la neuvième et à la dixième place des économies les plus avancées et le Canada et l'Italie disparaîtront purement et simplement de cette liste, au profit de l'Inde, l'Indonésie, la Russie et le Brésil. D'autres enceintes – tels les BRICS et surtout l'Organisation de la coopération de Shanghai qui réunit les plus grands pays d'Asie et la Russie –, plus discrètes et auxquelles nous n'appartenons pas et ne prêtons aucune attention, ont vu le jour. Et pendant qu'on regardait ailleurs, la Chine a signé au mois de novembre 2020, avec quatorze pays de la région, le plus grand accord de libre-échange au monde qui concerne 30 % de la population et représente 30 % du PIB mondial. Il y aura donc probablement, du moins

---

1. Bertrand Badie, *Nous ne sommes plus seuls au monde*, La Découverte, 2016.

dans l'avenir immédiat, coexistence, sinon compétition – mais sommes-nous sûrs de la gagner dans les pays émergents ou en développement? –, entre démocraties et régimes autoritaires. Même les pays de l'Union européenne sont divisés sur ce point. En tout état de cause, aucun régime politique en tant que tel n'a réellement gagné dans cette crise sanitaire. Et surtout n'est fondé à jeter la première pierre ou à donner des leçons.

Les principales puissances occidentales vont devoir se remettre de cette triple crise, sanitaire et économique mais aussi de gouvernance. Comment ces pays sûrs d'eux-mêmes et de leur supériorité ont-ils été condamnés à confiner l'ensemble de leur population en comptant quotidiennement leurs morts? Ce qui est apparu encore plus clairement à la faveur de cette pandémie est la défaillance des États-Unis et l'absence totale de leadership, marquées par les incohérences et les déclarations extravagantes de Donald Trump. La concurrence commerciale et technologique et les conflits entre Washington et Pékin seront la donnée fondamentale des prochaines décennies.

Personne n'aurait quoi que ce soit à gagner à une confrontation virulente. Rappelons d'ailleurs l'intrication des économies. Il y a des limites aux relocalisations industrielles, quelques produits jugés stratégiques exceptés. Le consommateur américain y perdrait de même que les grandes entreprises américaines installées en Chine, moins d'ailleurs pour les coûts de production inférieurs, les salaires chinois augmentant d'année en année, que pour le marché d'un milliard quatre cents millions d'habitants. General Motors y vend plus

de véhicules qu'aux États-Unis ! Et Tesla a installé sa
« gigafactory » de véhicules et de batteries électriques
à Shanghai. Il en va de même d'ailleurs pour les com-
pagnies européennes. Après la « guerre des narratifs »,
et le *China bashing*, leitmotiv bipartisan de la campagne
électorale américaine, il est important que la tempé-
rature baisse et qu'on revienne à la raison. L'annonce
de la mise en œuvre de la trêve commerciale visant à
réduire le déficit commercial américain, conclue en
début d'année 2020, était un premier pas dans cette
direction, suivant un autre conseil de Kissinger selon
lequel la coopération stratégique est préférable à la
confrontation stratégique. L'élection de Joe Biden ne
remettra pas en cause la ligne générale, même s'il le
fera de manière plus courtoise et en évitant de se foca-
liser sur la guerre des tarifs qui a renchéri les produits
pour le consommateur américain sans réduire, bien au
contraire, le déficit commercial au profit de la Chine.

La France et l'Union européenne auront à se posi-
tionner. Le pire serait de rallier un camp de manière
pavlovienne sans tenir compte de nos intérêts propres.
Nous avions l'habitude de raisonner en termes d'alliance et d'amitié systématiques avec les États-Unis. Il
est clair aujourd'hui que nos intérêts ne coïncident
pas automatiquement. Et peut-on vraiment considérer
que nous partagions les « valeurs de Donald Trump » ?
C'est certes difficile à admettre pour certains États,
dont l'Allemagne, même si la chancelière a été ostensiblement humiliée, et écoutée par les grandes oreilles
de ce prétendu ami et allié. Il n'est pas acceptable que,
par le biais de sanctions extraterritoriales, Washington

décide avec qui les membres de l'Union européenne ont le droit de faire ou non du commerce. L'OTAN, dont l'ADN est américain en dépit du mépris affiché de Trump, est un instrument que Washington entend désormais utiliser contre la Chine. La stratégie de sécurité adoptée par l'Alliance a laissé entendre que la Chine était un adversaire systémique. L'Union européenne a curieusement repris cette même rhétorique du « rival systémique » pour limiter les investissements chinois en Europe. La Chine est un rival systémique des États-Unis mais l'est-elle vraiment de l'Europe ? Elle est certes un concurrent et ses intérêts notamment commerciaux peuvent se heurter aux nôtres. Réagissons et dotons-nous de l'ensemble des instruments nécessaires pour nous défendre. Et n'ayons pas peur de les utiliser. Mais prenons garde au *China bashing* qui ferait vraiment d'un concurrent un ennemi. Personne n'y gagnerait.

Après les divisions et les errements de la gestion de la crise sanitaire, l'Union européenne revient sur son terrain. Celui de l'économie et de la croissance. Parce que la taille est déterminante, avec ses 450 millions d'habitants, elle constitue en tant que premier bloc commercial mondial, pour chaque État, grand ou petit, un démultiplicateur de puissance face aux États-continents. Le maître-mot est l'autonomie stratégique, qui s'entend à la fois comme autonomie renforcée en matière de défense et autonomie de décision commerciale. La souveraineté technologique est également un enjeu crucial. Il est frappant de constater que, pendant le confinement, l'instrument numérique qui a permis la poursuite de l'activité professionnelle, Zoom, est un procédé américain créé dans la Silicon Valley par un Chinois de la province du Shandong. L'Europe ne peut se permettre de rester à l'écart de l'innovation technologique.

La marge d'action de l'Union européenne est certes étroite entre risque de paranoïa américaine et d'hubris chinoise qui seront peut-être légèrement corrigées, la première par le souhait de s'appuyer sur des alliés et de redonner la priorité à la diplomatie, ou la seconde par la prise de conscience du caractère contreproductif de l'arrogance ou de l'agressivité, qui suscitent en retour une méfiance sans précédent des pays occidentaux à l'encontre de la Chine. L'UE, si elle se réforme et renforce sa solidarité et sa cohésion en particulier dans l'Eurozone, pourra peut-être jouer un rôle modérateur entre les deux éléphants, comme elle l'a fait lors de la dernière session de l'assemblée mondiale de l'OMS en mai 2020. Les lignes ont déjà bougé avec la mise en place d'un fonds de relance et d'aide aux pays les plus vulnérables et la signature en toute fin d'année 2020, malgré les pressions américaines, d'un accord avec Pékin sur les investissements permettant un accès amélioré au marché chinois et la prise en compte des préoccupations européennes. Mais les deux États-continents dominants ont le temps pour eux, les États-Unis en raison d'instruments hégémoniques comme le dollar, la Chine, seul pays du G20 à avoir renoué avec la croissance dès 2020 car elle peut conduire à son terme une stratégie globale sans la contrainte électorale de devoir plaire à son opinion publique.

Le Royaume-Uni sera confronté au même dilemme que l'Europe, à laquelle son destin est lié quoi qu'il en pense. Dans le jeu des puissances, il lui sera difficile de faire cavalier seul. Sa tentation sera de basculer du côté américain mais sans avoir voix au chapitre. Le type de relations, pas seulement économiques, qu'il entretiendra avec l'Union européenne sera la clé de son succès dans la phase post-Brexit.

Chapitre 1

Le jour d'avant :
Londres nouvelle ville-monde

Revenue dans la vieille Europe à l'été 2014 d'une Chine en pleine effervescence, j'ai été étonnée de retrouver à Londres une extraordinaire vitalité et un dynamisme comparables à ceux de Shanghai.

Dans la City et au-delà du London Bridge, des tours futuristes avaient émergé, dessinant une nouvelle skyline. Et on avait autorisé la construction de deux cents autres tours. Des grues faisaient face à Westminster et, vue insolite lors des garden-parties de la reine, entouraient les jardins du palais de Buckingham. Le représentant de Bouygues me disait alors qu'il n'y avait plus de grues en quantité suffisante pour ces innombrables chantiers. Si, à New York et à Shanghai désormais, « *sky's the limit* », à Londres, la frénésie bâtisseuse visait aussi le noyau terrestre : le sol pouvait être indéfiniment creusé sous les maisons. C'était la folie des *megabasements*. Le voisin de la résidence de l'ambassadeur de France, ancien promoteur immobilier de l'agence Foxton's, avait déposé un projet démesuré qui prévoyait de bâtir sous la maison et toute l'étendue du jardin deux étages souterrains pour y construire notamment un garage doté d'un ascenseur carrousel pour ses voitures de collection. Comme ce projet risquait de menacer les fondations et le bon fonctionnement de la résidence, les ambassadeurs de France successifs, soutenus par leurs homologues résidant dans la très chic allée ombragée de Kensington Palace Gardens, sont allés devant les tribunaux. La presse s'en était fait l'écho avec une tonalité plutôt critique à l'encontre de ces projets mégalomaniaques qui voyaient le jour dans tout Londres. Une maison géorgienne s'est un jour écroulée. Les voisins de ces propriétaires acharnés à creuser des termitières géantes pestaient contre le bruit et la poussière auxquels ils étaient confrontés depuis plusieurs années.

Jonathan Coe, dont toute l'œuvre romanesque raconte l'histoire de l'Angleterre contemporaine, ses manies et ses lubies, a choisi ce sujet comme thème d'un de ses livres : *Number 11*[1]. Même si ce numéro renvoie à celui du voisin du numéro 10 à Downing Street, le chancelier de l'Échiquier, il se trouve que la résidence est précisément située au numéro 11 de Kensington Palace Gardens. Cela m'a fourni l'ouverture de mon discours de remise de la médaille des arts et lettres à cet écrivain talentueux : « *Welcome to Number eleven, dear Jonathan Coe.* » La mairie de Kensington et Chelsea a,

---

1. Jonathan Coe, *Numéro 11*, Gallimard, 2016.

au demeurant, fini par adopter un règlement limitant le creusement à un étage sous le sol.

Londres, ville triste et grise dans les années soixante et soixante-dix, renaquit plus d'une fois de ses cendres, glorieuse et confiante en elle-même. Les Jeux olympiques de 2012, véritable apothéose, qui ont vu la reine, dans une séance culte, sauter en parachute avec James Bond sur le site olympique lors de l'inauguration, ont suscité euphorie et optimisme. Cette séquence symbolique a illustré à la fois le savoir-faire britannique et son humour à toute épreuve, sans compter au final le record de médailles. Cela a été « les quinze plus beaux jours de ma vie », m'a dit une jeune journaliste britannique, et je sais que ce sentiment de jubilation et de fierté a été largement partagé. Londres apparaissait alors comme la nouvelle ville-monde appelée à rivaliser avec New York. La réussite urbanistique du site olympique de Stratford prolongeait celle de la reconquête d'un est londonien qui n'a plus grand-chose à voir avec les bas-fonds décrits par Céline dans *Guignol's Band*. Il y avait toujours quelque chose de nouveau à Londres. Des projets architecturaux audacieux se multipliaient comme la New Tate Modern ou la Serpentine Gallery de Kensington Gardens conçue par la très talentueuse et créative architecte iraqo-britannique, Zaha Hadid, dont les bureaux étaient à Londres, justement.

Et Londres, comme Paris, est à la fois capitale politique, économique, scientifique et culturelle. L'on vivait à l'heure du méridien de Greenwich, d'où l'on pouvait traiter avec l'est et l'ouest du monde avec un décalage horaire raisonnable. De nombreux Américains,

Asiatiques et ressortissants du Moyen-Orient avaient fait le choix d'y installer le siège de leurs entreprises. La croissance, de 3,1 %, était alors la plus élevée d'Europe et des pays du G7. Boris Johnson, le charismatique et provocateur maire de Londres, déclarait être prêt à dérouler le tapis rouge aux investisseurs français échaudés par la taxe à 75 %, la rigidité du marché du travail et la complexité des démarches pour créer une entreprise dans notre pays. Le taux de chômage était très bas et confinait au plein-emploi même s'il y avait de nombreux emplois précaires, notamment ceux que l'on qualifiait de « zéro heure », qui obligeaient souvent leurs détenteurs à trouver un autre travail aussi peu stable. Cependant beaucoup d'étudiants ou de personnes avec des contraintes familiales importantes y trouvaient leur compte en maintenant un lien continu avec le marché de l'emploi.

Des délégations parlementaires ou institutionnelles françaises, jusqu'au Premier ministre Manuel Valls, ou le ministre de l'Économie Emmanuel Macron, venaient chercher outre-Manche la recette de la croissance et de l'optimisme. Plusieurs hebdomadaires français réalisaient des numéros spéciaux sur Londres.

En visite d'État en octobre 2015, le président chinois Xi Jinping a érigé Londres en porte d'entrée de la Chine vers l'Europe et a décrété le début d'une décennie dorée entre les deux pays. Il a prononcé le grand discours de sa visite, rendant hommage à la plus vieille démocratie du monde, à Guildhall en plein cœur de la City. Le principal fonds d'investissements chinois, Ginkgo Tree, émanation du fonds des immenses réserves chinoises, avait fait le choix de la capitale britannique pour rayonner vers le reste de l'Union européenne. L'engouement des Chinois pour Londres a été tellement fort à l'occasion de cette visite que j'ai vu quelques semaines plus tard, lors d'un voyage à Pékin, dans le quartier chic de Sanlitun, les principaux emblèmes de Londres, autobus et cabines téléphoniques rouges, devant lesquels les jeunes Pékinois branchés se faisaient photographier.

Ville-monde, Londres l'était déjà par sa composition, 40 % des habitants étant nés dans un autre pays. Pratiquement toutes les nationalités sont représentées dans cette ville qui parle plus de deux cents langues et est sans doute la plus cosmopolite du monde. Il y a une ville française à Londres, une ville chinoise, une ville indienne, une ville pakistanaise, une ville russe... Illustration de ce phénomène, certains quartiers sont même rebaptisés Chinatown, Little India, Londongrad ou bien Londonistan de sinistre réputation, autour de la mosquée de Finsbury à Tower Hamlets, surnommée « The Islamic Republic of Tower Hamlets » ou encore « Londoha » en raison du nombre d'acquisitions du Qatar, qui possède deux des plus hautes tours de Londres, dont le Shard, le grand magasin de luxe Harrods, le village olympique ainsi que le nouveau quartier des affaires de Canary Wharf où travaillent plus de 100 000 personnes et où sont installés les sièges des grandes banques internationales. Toutes les fêtes, du nouvel an chinois avec ses dragons et ses lions au festival indien des lumières de Diwali, sont célébrées. Du coup, Londres est devenue une véritable capitale gastronomique où toutes les cuisines du monde sont représentées y compris aujourd'hui avec des chefs étoilés.

Boris Johnson, alors maire de Londres, trouvait généralement fierté à se revendiquer maire de la quatrième ville de France avec une population de quelque trois cent mille Français. Il s'était même vanté auprès d'Alain Juppé d'administrer une ville française plus grande que Bordeaux ! Cette communauté est variée, allant des mathématiciens, polytechniciens et financiers de la City (le London Stock Exchange, la fameuse Bourse de Londres, a eu d'ailleurs pendant dix ans à sa tête un Français très respecté, Xavier Rollet), aux chefs ou aux serveurs des meilleurs restaurants ou de bistrots en passant par des ingénieurs, des metteurs en scène, des artistes comme Sylvie Guillem ou Julien Clerc, et une communauté d'affaires dynamique où tous les secteurs d'activité sont représentés. Le patriotisme économique n'ayant alors pas cours, au profit du seul intérêt du consommateur, les grandes entreprises françaises avaient obtenu la gestion de l'électricité avec EDF, du traitement des déchets ou de l'eau avec Veolia, jusqu'à la RATP, dont le sigle était bien visible sur les fameux bus à impériale rouges emblématiques de Londres, dont elle gérait plusieurs lignes. Les start-up françaises venaient rejoindre les entreprises du CAC 40, y créant une « French tech » très dynamique, portant ainsi à près de trois mille le nombre d'implantations françaises dans le pays. J'avais même été étonnée lors d'un déplacement en Écosse de découvrir que les principales grandes marques de whisky étaient détenues par des entreprises françaises. Des jeunes originaires de banlieue débarquaient, certains d'y trouver du travail, et disaient préférer être considérés comme des Français à Londres que comme des Beurs à Paris. Le centre Charles-Péguy, une association à but non lucratif, aidait à leur insertion sociale et professionnelle.

Il y a véritablement une ville française à Londres, organisée autour de ses lycées et en particulier du premier, centenaire, Charles-de-Gaulle, situé dans le « Carré français » à South Kensington, avec l'Institut et son cinéma Lumière, ses librairies, ses cafés et ses boulangeries. La langue française est omniprésente dans les rues du quartier. Un jeune lycéen français, bien avant la campagne du Brexit, avait même écrit au maire du quartier pour demander un référendum d'autodétermination à South Ken afin de prendre en compte cette spécificité… Devant l'expansion rapide de la communauté française et afin de préserver le lien des générations suivantes avec notre culture, nous avons ouvert deux autres établissements, à Kentish Town puis au nord, à Wembley, dans l'ancienne mairie de Brent, le quartier le plus multiculturel de Londres. Nous avons baptisé en 2016 ce dernier lycée du nom de Winston Churchill, en présence de son petit-fils et du président de la République. Il est rarissime qu'un lycée français à l'étranger porte le nom d'une personnalité non française. C'est un hommage pour l'accueil réservé au général de Gaulle et aux Forces françaises libres pendant la guerre. Des Britanniques nous ont confié qu'ils étaient heureux de l'installation de nouveaux lycées français et de leur écosystème porteur de « civilisation », en fait la baguette et les croissants.

Il y a aussi à Soho l'église Notre-Dame-de-France fondée en 1865 par des maristes, décorée de fresques de Jean Cocteau, où de plus en plus de paroissiens ivoiriens assistent à des messes colorées, chantantes et dansantes. L'Église catholique s'est, au demeurant, réjouie de l'arrivée des nouveaux migrants polonais et africains qui viennent compenser la baisse de la pratique religieuse dans la communauté catholique britannique ou même française. À noter qu'existent également un temple protestant et une synagogue où les services sont destinés aux Français. Il y avait enfin une radio en langue française : French Radio London.

Pour autant, en dépit de notre forte visibilité, nous étions loin d'être la première communauté étrangère. Nous ne venions en effet qu'au dixième rang.

Nous étions largement dépassés par les Indiens, les Pakistanais, les Allemands, les Grecs, les Chypriotes, les Polonais, et il y avait encore bien d'autres communautés de tailles variables – que je ne peux pas toutes décrire –, soudanaise, érythréenne, nigériane, tout le Commonwealth en fait. Chaque communauté s'était organisée avec ses restaurants, épiceries, hôpitaux parfois, comme le Cromwell Hospital financé par les Émirats et où, fuyant les étés caniculaires du Golfe, circulaient des hommes en dishdasha et des femmes en niqab. De même, dans le quartier de Knightsbridge, où est située l'ambassade de France, depuis le rachat du célèbre magasin Harrods « fournisseur de Sa Majesté » par le fonds souverain du Qatar. Certaines communautés ont leur journal, ou leurs émissions de radio ou de télévision, ou des séries télévisées qui leur sont consacrées.

Londres était surtout devenue une ville européenne, avec plus de trois millions de citoyens issus du continent, qui, immédiatement après le référendum, ont ouvert un compte Twitter sous cette appellation, « les trois millions », et rédigé des pétitions. Tous, à l'exception des Irlandais (environ un million), ont été écartés du vote, même ceux qui étaient installés à Londres depuis plus de vingt ans.

Les Polonais en étaient venus à constituer la plus grosse communauté. Près d'un million, attirés par l'accueil enthousiaste et les perspectives d'emploi au Royaume-Uni après l'élargissement de l'UE, quand la France ne voulait pas voir arriver le « plombier polonais ». De fait, ce sont ces ouvriers polonais, que l'on entend et voit tous les matins arriver sur les chantiers, qui ont construit le nouveau Londres et le site olympique. Les Roumains sont arrivés en nombre aussi par la suite et un sixième de la population lituanienne a émigré au Royaume-Uni. C'est une population jeune et active qui, contrairement à ce qui a été dit par les Brexiters, avait en réalité peu recours aux services sociaux, dans lesquels ils travaillaient d'ailleurs souvent.

Une ville russe a émergé en quelques années. Né véritablement dans les années quatre-vingt-dix avec l'arrivée des oligarques attirés par une fiscalité avantageuse pour les riches expatriés et les visas dorés, Londongrad ou « *Moscow on Thames* » (Moscou sur Tamise) s'est considérablement développé. La population est passée d'à peine 15 000 au début du XXIᵉ siècle à 300 000 environ aujourd'hui. Oligarques richissimes et influents propriétaires de clubs de foot, tel celui de Chelsea détenu par Roman Abramovitch, ou de journaux à l'instar d'Alexander Lebedev devenu propriétaire de *The Independent Newspaper* puis du très influent quotidien londonien *Evening Standard*. Opposants, à l'instar de Mikhaïl Khodorkovski, ancien patron de la compagnie pétrolière privée Ioukos nationalisée par le Kremlin, espions et agents doubles se côtoient selon la grande tradition. La retentissante affaire de la tentative d'empoisonnement au Novichok de l'ancien agent double Skripal et de sa fille en mars 2018 à Salisbury non loin de Londres, dix ans après l'assassinat au polonium de Litvinenko, en a été la dernière illustration. Après l'intervention en Ukraine et la chute du rouble, 90 % des capitaux fuyant la Russie sont venus se réfugier à Londres. Un livre, *Londongrad, From Russia with Cash*[1], rend compte de cette nouvelle immigration. La capitale britannique était de ce fait devenue le marché immobilier le plus cher de la planète. La société anti-corruption «Clampk», fondée par Ramon Borisovitch, organise des «Klepto Tour» des luxueuses propriétés londonniennes acquises avec de l'argent «sale».

Dans le monde de la culture, la présence russe est visible aussi : la chaîne de librairies Waterstones en mauvaise situation financière avait été rachetée et redressée par Alexandre Mamut. L'inoubliable baryton aux cheveux de neige, Dmitri Khvorostovski, chantait

---

1. Mark Hollingsworth et Stewart Langley, *Londongrad : From Russia with Cash*, Fourth Estate Ltd, 2010.

Eugène Onéguine au Royal Opera de Covent Garden ; le maestro Valery Gergiev a dirigé un temps le London Symphony Orchestra. Il est piquant de noter que dame Helen Mirren, anoblie par la reine, qu'elle a incarnée à la perfection à l'écran dans *The Queen,* rôle pour lequel elle a reçu un oscar, et sur la scène dans la pièce intitulée *The Audience* de Peter Morgan, est née Helen Lydia Mironoff, d'un père appartenant à l'aristocratie militaire russe. Cette pièce qui raconte les audiences hebdomadaires de la reine avec ses Premiers ministres de Winston Churchill à David Cameron est une merveille d'intelligence et d'humour, de véracité aussi alors que ces entretiens se font en tête à tête sans qu'aucune note ne soit jamais prise. Le dernier acte était modifié en fonction de l'actualité. Un acteur avait commencé les répétitions pour jouer Ed Miliband en prévision des élections générales de 2015 mais j'ai vu cette dernière scène avec le retour triomphal de Cameron. La pièce s'est malheureusement arrêtée avant l'arrivée aux affaires de Theresa May. Un jour peut-être, quand le Brexit aura trouvé son épilogue… Depuis, Peter Morgan s'est lancé dans le scénario de « The Crown », une des séries les plus regardées de Netflix.

Certaines communautés, en vertu de liens historiques, se sont investies aussi dans le domaine politique. Ainsi les Indiens, dont les grands hommes d'affaires, notamment Lakshmi Mittal, et les représentants de Tata, sponsors du plus grand festival littéraire du monde – le Hay Festival –, sont représentés à Wesminster par des lords et des députés qui se réunissent dans des *curry clubs* et divers groupes d'amitié, sans compter l'influente British-India All Parliamentary Association. Priti Patel, brexiteuse virulente, fut un temps ministre du gouvernement de Theresa May et est aujourd'hui ministre de l'Intérieur dans le gouvernement de Boris Johnson. Et aujourd'hui Rishi Sunak, chancelier de l'Échiquier, dont la famille est originaire du Penjab, est l'étoile montante du cabinet.

Plusieurs Britanniques d'origine pakistanaise ont fait une brillante carrière dans l'ensemble du spectre politique. Deux fils de conducteurs de bus, fiers de leur parcours : pour le Parti conservateur, Sajid Jawid, plusieurs fois ministre et, pour le Parti travailliste, le maire de Londres Sadiq Khan.

L'élection, en mai 2016, d'un musulman à la tête d'une grande métropole occidentale, qui a fait couler beaucoup d'encre en France et a suscité pléthore de demandes d'entretiens de la part de personnalités nationales ou locales françaises de passage, a été considérée presque comme un non-sujet dans la capitale du Royaume-Uni. Soucieux de représenter toutes les communautés y compris les ressortissants de l'Union européenne, Sadiq Khan ne manque pas une occasion de proclamer que Londres est et restera une ville ouverte à tous. Il m'a invitée à la mairie aussitôt après le Brexit en compagnie des ambassadeurs des principales communautés pour passer ce message.

J'ai connu lord Ahmad of Wimbledon, qui a occupé plusieurs fonctions ministérielles lorsqu'il était sous-secrétaire d'État pour la lutte contre l'extrémisme et intervenait courageusement auprès des communautés musulmanes contre les dérives islamistes.

La population chinoise n'habite plus à Chinatown, l'un des plus anciens quartiers chinois du monde, installé à Soho et devenu aujourd'hui plutôt un quartier de restaurants. La communauté est très dispersée et très diverse. Chinois du continent, Taïwanais, tycoons hongkongais, comme l'exquis David Tang, fondateur de la marque et des boutiques Shanghai Tang, chroniqueur de l'art de vivre et arbitre du goût dans le *Financial Times*. Il recevait généreusement ses amis pour les fêtes du nouvel an chinois ou pour des dîners somptueux qui réunissaient intellectuels, artistes, hommes d'affaires et politiques de tout bord, de Tony Blair à Monica Lewisky. J'y ai même vu Nigel Farage apparaître, au grand étonnement et déplaisir d'autres invités de marque. J'avais sympathisé avec David Tang parce que j'avais été en poste à Hong Kong au début de ma carrière. C'était un excentrique, avec du panache, comme on les aime à Londres, et un grand cœur. Atteint d'un cancer, il a écrit à tous ses amis pendant l'été 2017 pour les informer que le « bureau politique » de ses médecins ne lui donnait qu'un mois ou deux à vivre et qu'il souhaitait faire une grande fête de départ le 6 septembre. Il est malheureusement mort avant, ce qui est très triste même si cette « fête » aurait été d'une infinie tristesse.

Les Chinois ont investi avec Geely dans les *black cabs* iconiques et s'intéressaient à la reconstruction du Crystal Palace, où l'Empire au plus fort de sa gloire accueillait les visiteurs de l'Exposition universelle. La nouvelle centrale nucléaire d'Hinkley Point est construite par EDF et CGN et il avait été décidé que les prochains EPR feraient appel à la technologie chinoise. Tout le monde est présent à Londres : même le mouvement des Falun Gong, interdit en Chine, manifeste en permanence devant l'ambassade de Chine et à Chinatown.

Une ville véritablement cosmopolite, donc, mais une mosaïque où tout le monde se croise souvent sans se rencontrer. Le communautarisme tant vanté et érigé en modèle, en opposition à la politique d'intégration à la française, a également failli. David Cameron l'avait admis. Tony Blair avait reconnu lui-même qu'on ne pouvait pas laisser les ennemis de la liberté abuser de cette même liberté. Louise Casey, responsable de l'inspection sociale, notamment concernant l'affaire des viols collectifs et l'exploitation de petites filles par des membres de la communauté pakistanaise à Rotherham, a publié un remarquable rapport relatif à l'intégration au Royaume-Uni qui révèle les dérives, mais il n'a reçu en 2016 qu'un prudent imprimatur tellement le sujet est sensible et le mythe du multiculturalisme heureux est puissant. Michael Wilshaw, l'ancien directeur de l'OFSTED, le contrôleur de l'enseignement, révélait de son côté des faits inquiétants et mettait en lumière les dangers d'une politique qui consistait à fermer les yeux. J'ai eu des entretiens passionnants avec lui comme avec Louise Casey. La proportion de ceux qui partaient faire le jihad en Syrie était de fait la même qu'en France. La cellule de quatre terroristes (surnommés les Beatles par leurs otages en raison de leur accent anglais), dont Jihadi John, visible sur des vidéos où il décapitait les captifs de Daesh et qui ont fait pendant des mois les gros titres de la presse, en ont été les représentants les plus cruels et les plus sanglants.

J'ai rappelé ce fait après les attentats contre *Charlie Hebdo* quand certains médias britanniques considéraient que ces attentats étaient dus à l'*agressive secularism*, la « laïcité agressive » ou plutôt, comme ce mot et même cette notion n'existent pas ou ne sont pas compris, la « sécularité agressive », pratiquée par la France. Les attentats du Bataclan et de Nice, qui ont suscité une immense sympathie et solidarité, ont atténué ces critiques. Plus tard, en 2017, les attentats terroristes islamistes de Westminster et du pont de Londres, dans lesquels la communauté française a payé un lourd tribut avec trois morts et plusieurs blessés, puis de Manchester qui ont fait vingt-deux morts lors d'un concert pour adolescents et enfants, ont ébranlé les convictions. Toutefois même si une politique de lutte contre la radicalisation a été menée, cela n'a pas conduit à une véritable réflexion ou remise en cause du communautarisme. Quelques années plus tard, tout cela a paru oublié quand la presse britannique a attribué la responsabilité de la décapitation du professeur Paty à ceux qui ont montré les caricatures de *Charlie Hebdo*. Une politique de communautarisme radicale en était venue à tolérer des tribunaux de la charia, où un imam juge les affaires familiales, pas au bénéfice des femmes, selon certains témoignages.

Au-delà des personnes qui composent la population londonienne, Londres était la capitale mondiale de la finance, des assurances, du droit, de l'information.

La City de Londres était d'abord reconnue comme le quartier général de la finance mondiale. La composition de sa population est aussi multiculturelle que celle du reste de la capitale avec plus de 40 % détenant des passeports étrangers. La City, connue de tout temps pour ses banquiers à chapeau melon, et dont le prestige est mondial, est une entité *sui generis*. Passé les statues de dragons qui surveillent les frontières du territoire, nous entrons sur le Miles, géré par le Lord Mayor intronisé en grande pompe chaque année avec une parade des principales guildes en costume datant du Moyen Âge. La reine doit demander l'autorisation pour y entrer. La City dispose de ses propres administration et police. On dit d'ailleurs que Jack l'Éventreur n'a jamais été attrapé faute de communication entre les deux polices, car il se réfugiait dans la City après avoir commis ses crimes dans le quartier adjacent de White Chapel. J'ai, à la fin de mon mandat à Londres, eu l'honneur de recevoir, lors d'une cérémonie traditionnelle, le diplôme de « citoyen libre de la City », ce qui me donnait entre autres le droit de faire circuler mes moutons sur le pont sans payer de péage (*sic*). Mélange de tradition médiévale et de toute-puissance financière, la City, qui faisait vivre deux millions de personnes, veillait à ses intérêts en dépêchant un représentant à Bruxelles. La plaisanterie du 1er avril 2016, qui faisait beaucoup rire à quelques semaines du référendum, était que ses membres se réunissaient la nuit en secret dans une crypte pour préparer son indépendance en cas de Brexit...

Dérivé de cette puissance financière, Londres s'était aussi imposée capitale des assurances avec la célèbre Lloyds ; capitale du droit, commercial notamment. Londres était enfin la capitale mondiale de l'arbitrage.

Nombre de conflits internes entre entreprises chinoises ou entreprises russes étaient portés devant un tribunal à Londres.

Londres est aussi la capitale incontestable de l'information. Le *Financial Times*, dont les deux tiers des lecteurs se situent en dehors du Royaume-Uni, inculque les valeurs du libéralisme et façonne les esprits à Bruxelles, Tokyo, Shanghai ou Delhi. Ses lecteurs acquièrent notamment leur vision de l'Europe et du monde à la lecture des pages saumon du journal, dont la couleur a été reprise par des journaux ou pages économiques dans d'autres pays, tels *Le Figaro* à Paris et *Vedomosti* à Moscou. L'hebdomadaire *The Economist* est lu par les mêmes élites mondiales. La BBC, la Beebs, aussi surnommée affectueusement Auntie et qui suscite souvent l'ire des gouvernements conservateurs, jouit toujours d'une aura planétaire et reste la référence indépassée de toutes les radios et télévisions du monde. C'est d'ailleurs vers la BBC que s'est tournée la Chine pour former ses journalistes à un mode d'information post-maoïste. Bloomberg et CNN avec sa journaliste vedette Christiane Amanpour diffusent vers l'Europe, le Moyen-Orient et l'Afrique à partir de Londres. Les grandes agences sont très actives, outre Reuters, l'AFP y a son plus grand bureau et diffuse en français et en anglais également vers l'Europe, le Moyen-Orient et l'Afrique – j'ai eu le triste privilège de visiter leurs locaux au moment où on a commencé à diffuser l'information et les images de la tuerie de *Charlie Hebdo*. Depuis 2005, Al Jazeera diffuse en arabe depuis Londres.

Les Britanniques sont aussi les maîtres de ce qu'ils appellent le *talk business*, le débat d'idées. De nombreux think tanks de très grande qualité sont installés à Londres, l'ancêtre étant le RUSI (Royal United Services Institute), sur les questions de sécurité et de défense, fondé en 1831 par le duc de Wellington dont le descendant est toujours président honoraire. Un autre très célèbre, le Royal Institute for International Affairs, situé à Chatham House, a gravé dans le marbre les règles du jeu qui s'imposent à leurs équivalents dans le monde entier, y compris en Chine ou en Russie : les fameuses *Chatham house rules* de non-attribution des propos, qui permettent un débat en toute liberté. Ce reflet des *debating societies* dans les écoles contribue fortement au soft power britannique. Le professionnalisme des intervenants issus de ce système est tellement reconnu que, lorsque j'étais en poste à Pékin, les médiateurs des tables rondes des colloques, même celles consacrées à la crise de l'euro, étaient presque systématiquement britanniques. Londres abritait même plusieurs think tanks dédiés aux questions européennes, dont l'EFR de Charles Grand ou l'ECFR, fondé et dirigé par Marc Leonard, ancien conseiller de Tony Blair qui a estimé que cela n'avait pas de sens de rester à Londres après le Brexit et a choisi de transférer le siège à Berlin. Des fondations comme Ditchley et Wilton Park accueillent, dans des manoirs paradisiaques de la campagne anglaise parsemée de moutons, des séminaires sur deux jours qui permettent de prolonger la discussion, de créer des réseaux ou d'influencer le débat d'idées, plus qu'on ne pourrait le faire dans un simple séminaire d'une journée dans un think tank, quelles que soient sa qualité et celle de ses intervenants.

La vie universitaire est intense dans le triangle d'or composé des grandes universités londoniennes, Imperial College, UCL (University College of London), la LSE (London School of Economics), et des deux cités universitaires prestigieuses, Oxford et Cambridge, modèles de toutes les universités Ivy League dans le monde anglo-saxon et au-delà. Et, naturellement, en bonne place dans tous les classements mondiaux y compris celui de Shanghai. Les touristes chinois qui viennent faire les soldes chez Selfridges, Harvey Nichols ou Harrods se rendent aussi sur le mythique quai 9 3/4 de King's Cross et ne manquent jamais la visite des grands réfectoires médiévaux des collèges et de la superbe bibliothèque d'Oxford, cadre du collège Poudlard d'Harry Potter. Son auteur a redonné le goût de la lecture à des millions d'enfants sur tous les continents, qui voient à travers les yeux d'un petit Anglais, sorcier sympathique certes mais anglais tout de même. Le soft power dans toute sa splendeur !

Ces établissements accueillent un très grand nombre d'étrangers, européens ou non. Les Chinois représentent souvent jusqu'à 25 % des effectifs. Les parents chinois inscrivaient leurs enfants dès l'âge de treize ans dans les *boarding schools* les plus huppées, comme Eton qui a formé de nombreux ministres ainsi que des personnalités devenues célèbres : l'économiste John Maynard Keynes, les écrivains George Orwell et Ian Fleming, auteur de la série des *James Bond*, et enfin le prince William, futur monarque et dix-neuf Premiers ministres britanniques. L'association avec ces universités pour des projets de recherche garantissait l'accès aux fonds européens.

Le système et le personnel politique britanniques étaient alors considérés comme un modèle de démocratie représentative. Formés dans ces écoles et université d'excellence, frottés au monde du privé et de la communication, David Cameron et son brillant chancelier de l'Échiquier, George Osborne, dauphin désigné, incarnaient une forme de conservatisme moderne, le conservatisme compassionnel ou le double libéralisme, économique mais aussi social ou sociétal. Une vision centriste partagée par Nick Clegg, qui a occupé jusqu'en 2015 la fonction de vice-Premier ministre créée pour lui après son succès aux élections générales de 2010. Philip Hammond, ministre des Affaires étrangères, ancien ministre de la Défense qui allait devenir dans le cabinet de Theresa May chancelier de l'Échiquier, apparaissait comme l'un des plus compétents et un sage, dont la position sur l'Europe avait, grâce à ses fonctions, évolué sur la base de faits objectifs. Les relations avec lui ont toujours été un plaisir, d'autant qu'il avait cet humour pince-sans-rire caractéristique des Anglais. Il venait régulièrement à la réception du 14 Juillet à la résidence et faisait une partie de son discours dans un excellent français.

Le service public des différents départements ministériels était remarquable. Nous avons d'ailleurs sur ce point la même tradition d'excellence, de neutralité et de loyauté du service public.

En septembre 2015 à Manchester, lors de sa dernière conférence du parti, temps fort de la vie politique britannique, David Cameron est apparu en pleine gloire, ayant gagné les batailles du référendum écossais et des élections générales. Tout paraissait lui réussir. Il avait remporté son premier pari, le maintien de l'Écosse dans l'Union alors que le vote avait été organisé avec une certaine désinvolture, en acceptant toutes les conditions écossaises (droit de vote à seize ans, corps électoral limité aux résidents même récents en Écosse). Certes une panique dans les dernières heures, alors que, pour la première fois, un sondage donnait la majorité au vote indépendantiste, a provoqué une mobilisation frénétique, David Cameron appelant lui-même les hommes d'affaires à expliquer publiquement ce que les Écossais perdraient en termes de pouvoir d'achat avec l'indépendance. C'est lui qui a convaincu la reine, constitutionnellement silencieuse, de signifier qu'elle souhaitait le maintien de l'Écosse dans l'Union en appelant à la sortie de la messe – le plus simplement du monde, un exemple d'*understatement* (litote) britannique – à « bien réfléchir (*think carefully*) avant de voter ».

Même succès insolent aux élections générales de 2015 alors qu'une victoire du Labour, en dépit des faiblesses d'Ed Miliband, n'était pas totalement exclue et que, en tout état de cause, tous les experts se préparaient à expliquer les différents scénarios de *hung parliament* (parlement minoritaire) et les différentes coalitions envisageables. Le parti Tory était sorti unique vainqueur de ces élections. Nul doute que cette chance a porté David Cameron à une certaine hubris. Il n'imaginait pas alors que ce serait une victoire à la Pyrrhus.

Les ministres de ce second mandat paraissaient sérieux et compétents, à l'instar de Theresa May inamovible et respectée ministre de l'Intérieur.

À cela s'ajoutait un maire de Londres charismatique qui circulait, un peu débraillé, à vélo et faisait rire les Londoniens de ses bons mots tout en en rajoutant dans les citations grecques ou latines. Boris Johnson était le seul homme politique connu par son prénom, devenu une marque avec les « *Boris bus* » et les « *Boris bikes* ».

Le discours dynamique et convaincant de Manchester promouvait un véritable projet. David Cameron y affichait aussi sa fierté d'avoir fait adopter une loi sur le mariage gay. Les membres de cette élite favorisée de Notting Hill ne doutaient pas d'être au pouvoir pour dix ans surtout après l'élection à la tête du Parti travailliste d'un trotskiste ancré dans les années soixante-dix, Jeremy Corbyn. Ils reflétaient une véritable assurance et confiance en eux. Dans le hall de la conférence se vendaient livres et produits dérivés : mugs décorés de silhouettes de la figure tutélaire du Parti conservateur, Margaret Thatcher, « notre Maggie », où figurait le célèbre commentaire de François Mitterrand : « Le sourire de Marilyn et les yeux de Caligula. » Parmi les *goodies* (produits dérivés) en vente figurait la biographie de David Cameron *Call me Dave*[1]. Le côté décontracté, cool comme une sorte de réincarnation de la « Cool Britannia » du temps de l'euphorie blairiste.

---

1. Biographie non autorisée d'Isabel Oakeshott et Michael Ashcroft, *Call me Dave*, Biteback Publishing, 2015.

Ces conférences du parti sont passionnantes pour les ambassadeurs invités parce qu'elles permettent de sentir l'atmosphère et de parler à tout le monde pendant deux jours, dès le matin en mangeant dans une grande salle commune le *nec plus ultra* des breakfasts anglais : œufs au bacon, saucisses, rondelles de boudin noir, haricots blancs à la sauce tomate, le tout arrosé d'un thé blanc ce qui signifie avec un nuage de lait. Nous pouvons également assister dans la journée et la soirée à des dizaines de *side events* sur les sujets chauds du moment, cette année-là le Brexit, du moins pour le Parti conservateur car, à quelques jours d'intervalle, lors de la conférence du Parti travailliste, les événements, quelque peu décalés, organisés en marge de la conférence portaient majoritairement sur la Palestine... De nombreux représentants de la société civile sont présents mais, en même temps, ces conventions sont le lieu de l'entre-soi par excellence car elles sont conçues pour les militants les plus convaincus. Curieusement, les dirigeants qui parlent à leurs militants semblent parfois ne pas avoir conscience de ces présences étrangères ainsi que de celles des journalistes.

Tout cela est aujourd'hui oublié et David Cameron restera à jamais le responsable du Brexit, ce dont les Européens convaincus du Parti conservateur et une bonne partie de la population continuent de lui faire grief.

La reine et la famille royale sont un atout et un élément déterminant du soft power britannique dont les événements familiaux, mariages et naissances sont suivis avec ferveur dans le monde entier. Il y a peu de républicains véritablement convaincus ou militants, même si j'en ai rencontré dans les milieux universitaires qui s'abstiennent même de chanter le *God Save the Queen.* En tout cas, le respect est unanime. Une indépendantiste galloise républicaine qui avait un jour appelé la reine « Mme Windsor » avait suscité de vives critiques dans ses propres rangs. On nous a raconté que, dans une usine, des Brexiters avaient fait campagne pour la sortie de l'UE en affirmant que cette dernière projetait de mettre fin à l'institution royale ! Sa Majesté est vénérée et les entretiens que l'on peut avoir avec « Ma'am » sont, au dire de tous, extrêmement plaisants.

J'ai pu le constater lors de diverses rencontres traditionnelles dans l'année : garden-party au printemps, bal du corps diplomatique en décembre où elle prend la peine de parler à tous. Ce fut surtout le cas lors de la remise de mes lettres de créance, qui a permis un entretien en tête à tête et la présentation de quatre membres de mon équipe. Le protocole est immuable et solennel : traversée de Londres en carrosse ouvert, avec une couverture chauffante quand cette cérémonie a lieu comme pour moi à la fin de l'automne ou en hiver, passage unique dans une vie sous l'arc de Wellington interdit à la circulation, arrivée, dans mon cas, dans la cour du palais de Buckingham lors de la relève de la garde aux bonnets en poils d'ours. Attente que la porte à deux battants s'ouvre après la sonnerie, un premier pas du pied gauche aux côtés du maréchal du corps diplomatique en grand uniforme, chapeau à plume et sabre au côté. Première inclination de tête. Le maréchal se retire. La porte se ferme et l'on avance face à la reine. Face à l'Histoire. Fascination et respect pour celle qui s'est entretenue avec Churchill et de Gaulle, le président Kennedy, Gandhi, Mikhaïl Gorbatchev, Deng Xiaoping, Nelson Mandela et tant d'autres encore. C'était après sa visite d'État en France pour l'anniversaire du débarquement et elle m'a dit sa reconnaissance pour cette visite et le souvenir des Normands qui criaient « Vive le duc » et même « Vive notre duc » sur son passage.

Tous les Britanniques qui, de par leurs fonctions ou leurs mérites, ont été reçus en audience ont eu ce même sentiment. La cérémonie d'intronisation a été suivie d'un vin d'honneur à la résidence, où l'on est raccompagné par le maréchal du corps diplomatique. Après avoir donné des carottes aux chevaux qui conduisent le carrosse royal, la réception en format restreint s'achève par un toast à la reine et au président de la République. Comme je faisais remarquer au maréchal que ce moment était unique dans une vie, « *once in a life time* », il m'a demandé avec humour si on pouvait dire « merci pour ce moment », sachant qu'à la même heure se tenait, dans une librairie de Piccadilly, la présentation de la version anglaise du livre de Valérie Trierweiler.

Nul ne sait si le successeur de la reine Elizabeth sera l'objet de la même vénération. Le prince Charles a suscité des inimitiés même si l'affaire de Diana, la princesse du peuple, est loin et que les Britanniques s'étaient réconciliés avec Camilla. Toutefois, l'image à charge du prince Charles donnée dans la série « The Crown » a provoqué de nouveau des attaques virulentes qui ont amené à fermer la section « commentaires » de son compte tweeter. La saga des lettres du prince de Galles illustre cette méfiance. L'héritier du trône était accusé avec constance d'ingérence dans les affaires politiques du pays par le *Guardian*, qui a exigé la publication de ses lettres à différents membres du gouvernement, appelées par un nom qui paraît diabolique ou très Agatha Christie : « *black spider memos* » (les mémos ou courriers de l'araignée noire) en référence à son écriture manuscrite singulière à l'encre très noire. L'autorisation d'abord refusée en 2012 par le procureur général a finalement été accordée par la Cour suprême en mars 2015. L'affaire a toutefois fait long feu car Charles intervenait principalement sur des questions liées au bien-être des soldats, à l'architecture, l'agriculture et l'environnement, ses sujets de prédilection. Le fait est qu'il a joué un rôle de précurseur sur ces questions. J'ai eu l'occasion d'être reçue à Clarence House, résidence du prince de Galles, où j'ai d'ailleurs dégusté un thé très raffiné dans des tasses de fine porcelaine. Le prince Charles, présent à l'inauguration de la COP 21, a été très actif sur les questions du changement climatique. J'ai eu l'honneur et le plaisir de lui remettre les insignes du mérite agricole, le fameux poireau, vert, au nom du ministre de l'Agriculture en 2017. Il en était sincèrement content. Il les a d'ailleurs arborés lors de sa rencontre le 18 juin 2020 avec le président Macron.

Le système britannique est un système dual, avec une monarchie qui est l'incarnation de la nation sans pouvoir politique puisque, comme le rappelle Marc Roche[1], la reine Elizabeth ne gouverne en réalité que les cygnes,

---

1. Marc Roche, *Elle ne voulait pas être reine !*, Albin Michel, 2020.

les baleines et les esturgeons qui sont propriété royale. Gare à qui touche à l'un de ces gracieux cygnes au long col des parcs londoniens !

A-t-elle regretté sa discrète incursion dans le politique à l'occasion du référendum écossais pour préserver l'unité du royaume ? En tout cas, elle n'a pas apprécié le commentaire de David Cameron, selon lequel elle avait ronronné de plaisir lorsqu'il l'avait informée du résultat de ce référendum, faisant savoir en utilisant la formule de son aïeule la reine Victoria : « *We are not amused.* » L'usage normalement respecté par tous est de ne pas faire état de propos tenus par la reine lors d'entretiens privés. Son discours sobre et rassurant de quelques minutes dans la première semaine de la pandémie a été suivi d'une longue émission spéciale de la BBC recueillant des commentaires dithyrambiques. La tradition et le faste sont l'apanage de la reine et de la famille royale. Le Premier ministre gouverne. Modeste, il vit dans une maison bourgeoise où les visiteurs des fonctionnaires qui y ont leurs bureaux croisent au rez-de-chaussée le Premier ministre rentrant de son jogging ou son conjoint revenant de ses courses. Les interrogations sur la compatibilité entre la monarchie et la modernité se multiplient, mais à la question de savoir à quoi sert un roi ou une reine au XXIe siècle, la réponse d'un Britannique, édifiante, a été : « À ce que le Premier ministre ne se prenne pas pour un roi. »

Tout semblait donc aller pour le mieux dans le meilleur des mondes. Mais c'était Londres, la vibrante Londres, à la créativité contemporaine associée à son charme traditionnel. Une île au milieu d'une île. Londres et le désert anglais comme on le disait autrefois de Paris et du désert français[1], titre célèbre du livre d'un géographe dans les années cinquante, alors que des métropoles régionales modernes allaient peu à peu se développer en France.

Le reste du pays restait invisible et inaudible au-delà de la ceinture constituée par la M25, l'autoroute autour de Londres, la ville orbitale. George Osborne, chancelier de l'Échiquier, avait bien lancé l'idée d'un « *northern power house* » (une locomotive nordique) pour revitaliser ces régions et ces villes du Nord sinistrées, défigurées, tristes, où de majestueuses mairies témoignaient seules de la gloire passée de l'Empire quand, de Manchester ou Liverpool, partaient les bateaux à la conquête du monde. La crise économique et financière de 2008 avait laissé des traces profondes, pas seulement en termes d'austérité économique mais de sentiment de tromperie et d'abandon de la part des banquiers et des politiques, de la City et de Westminster. Les disparités territoriales et les inégalités sociales, reflétées dans les films de Ken Loach, étaient plus fortes qu'en France. Selon les statistiques publiées par Eurostat, neuf des dix régions les plus pauvres d'Europe du Nord étaient britanniques.

Je m'étais efforcée de voyager, mais je m'étais concentrée sur les cités universitaires et les grandes villes, Birmingham, l'atelier du monde pendant la révolution industrielle, Manchester, Liverpool, Cardiff, et

---

1. Jean-François Gravier, *Paris et le désert français*, Le Portulan, 1947.

également les villes écossaises Édimbourg et Glasgow, où les personnalités que je rencontrais, émanant souvent du parti Labour, étaient favorables au maintien dans l'Union européenne et déterminées à faire campagne en ce sens. Ces édiles s'étaient d'ailleurs montrés plutôt confiants dans le résultat du vote. Une fois pourtant, à Portsmouth, ville portuaire où je m'étais rendue pour la célébration du trentième anniversaire de la ligne Ouistreham-Portsmouth de la compagnie maritime Brittany Ferries, laquelle dessert le continent, la France et l'Espagne notamment, j'avais été surprise de rencontrer des partisans de la rupture et je me souviens du chef de gare sympathique et truculent qui avait plaisanté avec notre petite délégation sur le quai de la gare et qui continuait alors que le train s'ébranlait d'agiter son petit fanion en criant : « Brexit ! Brexit ! Brexit ! »

L'ancien dirigeant des Trade Unions, lord Monks, rentré d'une tournée dans l'Angleterre profonde vers la fin de la campagne nous avait rapporté les propos qu'il avait entendus et avoué son pessimisme. Qui, à Londres, l'a écouté ? La vérité est que les conservateurs n'avaient plus beaucoup de capteurs dans ces régions et les travaillistes, à qui avait été laissée la responsabilité de la campagne, n'avaient pas encore compris que leur leader était lui-même un Brexiter. Les signaux faibles seront perçus comme significatifs *a posteriori*. Trop tard. Le résultat du référendum annoncé au petit matin du 24 juin 2016 apparut donc comme un coup de tonnerre dans un ciel bleu. Personne ou presque au Royaume-Uni ne l'avait vu arriver.

Chapitre 2

Une île : l'exceptionnalisme britannique

This fortress built by Nature for herself,
Against infection and the hand of war,
This happy breed of men, this little world,
This precious stone set in the silver sea,
Which serves it in the office of a wall,
Or as a moat defensive to a house,
Against the envy of less happier lands,
This blessed plot, this earth, this realm, this England[1].

William Shakespeare, *Richard II.*

---

1. Cette forteresse bâtie par la nature pour se défendre/Contre l'invasion et le coup de main de la guerre,/Cette heureuse race d'hommes, ce petit univers,/Cette pierre précieuse enchâssée dans une mer d'argent/Qui la défend comme un rempart,/Ou comme le fossé protecteur d'un château,/Contre l'envie des contrées moins heureuses,/Ce lieu béni, cette terre, cet empire, cette Angleterre. [Traduction de Victor Hugo]

« La Grande-Bretagne est une île entourée d'eau de toutes parts, et je pourrais m'arrêter là. » Ainsi commençait rituellement le cours d'André Siegfried, professeur à l'École libre des sciences politiques – aujourd'hui Sciences Po – entre les deux guerres, s'inspirant de la citation de Jules Michelet au Collège de France : « L'Angleterre est une île, vous en savez maintenant autant que moi sur son histoire. » C'est ici que se rejoignent le géographe et l'historien. « Cette pierre précieuse dans une mer d'argent » décrite par Shakespeare dans la pièce *Richard II* est une citation apprise par cœur par tous les écoliers britanniques. La référence à la forteresse construite par la nature censée protéger des infections et de la guerre a une résonance particulière pendant la pandémie. Le fameux titre attribué au *Times* en 1957 : « Épais brouillard sur la Manche, le continent est isolé »… est aussi révélateur de cet état d'esprit insulaire.

Les psychanalystes reconnaissent l'importance du roman familial, celui que l'on s'invente, souvent de bonne foi, pour donner un sens à notre histoire personnelle ; les États construisent aussi leur roman national, le récit qui donne un sens au présent et fonde un projet politique. Histoire sans doute écrite comme on le dit généralement par les vainqueurs mais racontée aussi par ceux qui se sentent lésés ou frustrés, pour justifier un nouveau cours. Le récit national n'est d'ailleurs jamais tout à fait le même au fil du temps.

Dans ces semaines de stupeur post-Brexit, nombreux étaient les séminaires où chacun y allait de son explication. J'étais très souvent invitée et y participais, avide de comprendre ce que les Britanniques eux-mêmes ne parvenaient pas à saisir. Un des participants nous a assuré que l'on comprendrait tout à la lecture d'un livre pour enfants et adolescents publié en 1905 et constamment réédité : *Our Island Story*[1] (l'histoire de notre île). « *Story* » et non pas « *History* ». Une histoire donc au sens de mythe ou de conte de fées et non l'histoire fondée sur des faits, même assortis d'interprétations. C'est en effet une histoire romantique, glorieuse et imaginaire qui y était racontée. David Cameron avait d'ailleurs cité cet ouvrage, lors de sa première élection en 2010, comme son livre d'enfant favori « car il captait l'imagination ». On peut penser qu'il n'était pas le seul à rêver ainsi son pays.

L'histoire racontée au temps du Brexit, c'est bien sûr en filigrane celle d'un passé glorieux, de la nation impériale, de l'Empire où le soleil ne se couche jamais, de l'Angleterre régnant sur toutes les mers et sur un quart des terres. « Rule Britannia/Rule the waves »[2]. Dans l'esprit des Brexiters, son avatar contemporain pourrait être constitué par le Commonwealth : cinquante-trois États membres tournant autour de la reine, formellement chef d'État de quatorze de ces royaumes, bientôt treize seulement après la décision de La Barbade de devenir une république en novembre 2021.

---

1. Henrietta Elizabeth Marshall, *Our Island Story*, T.C. et E.C. Jack, 1905.

2. Chant patriotique datant de 1940, chanté souvent par les supporters de l'équipe de football d'Angleterre : « Règne Britannia/ Régis les flots/ […] Les nations moins bénies que toi/Subiront à leur tour le joug des tyrans/Alors que tu t'épanouieras grande et libre/ Désirée de tous/… »

Le Commonwealth est censé remplacer avantageusement l'Union européenne dans les échanges commerciaux. Que l'Australie et la Nouvelle-Zélande se tournent aujourd'hui davantage vers la Chine, le Canada vers les États-Unis, ou que l'Inde, talonnant désormais son ancienne puissance coloniale et appelée à la dépasser dans un avenir proche, se sente totalement autonome et souvent irritée par les prétentions de Londres, ne semble pas effleurer l'esprit des Brexiters. Un autre concept, l'anglosphère, est de plus en plus évoqué. Là aussi tout est censé tourner autour de l'Angleterre alors que Washington et non Londres en serait le centre, plus americanosphère qu'anglosphère donc. En outre, tous ces pays sont intéressés par le marché européen et ont négocié ou négocient des accords de libre-échange avec Bruxelles. Toute la rhétorique sur l'indépendance que le Brexit est censé procurer paraît ainsi bien illusoire.

L'histoire racontée par les partisans du Brexit est aussi celle d'un pays toujours victorieux, d'un pays qui n'a jamais été envahi (du moins depuis 1066, date de la conquête normande) grâce au comportement digne du roi George VI et de la reine Elizabeth, à la détermination de Churchill, à la vaillance des pilotes de la Royal Air Force, et au courage ordinaire du peuple de Londres sous les bombes allemandes, le fameux esprit du Blitz, mais aussi peut être, sans que cela soit jamais évoqué, justement grâce à « l'eau qui l'entoure de toutes parts ». Un pays qui considère avoir gagné seul la Seconde Guerre mondiale et qui a libéré le continent, dont il estime que la gratitude lui est due. Quid du rôle des Américains et de l'Armée rouge ? On parle quand même grâce à Hollywood de temps en temps du soldat Ryan mais jamais du prix du sang payé par vingt-deux millions de Soviétiques. Cela ne trouble néanmoins pas le discours des Brexiters qui répètent à l'envi que le Royaume-Uni a libéré seul l'Europe et qu'il n'a besoin de personne. Une image bien connue de 1940 d'un homme disant « seul désormais » après l'effondrement de l'armée française est remise en circulation aujourd'hui comme si la situation était comparable. Or c'est Hitler qui avait acculé les Britanniques en 1940, avec le Brexit ils se sont isolés eux-mêmes. Mon propos n'est certes pas de minorer le rôle de nos alliés britanniques dans la libération de la France et nous ne remercierons jamais assez ceux qui sont venus sur nos côtes prêts au sacrifice suprême et ceux « pour qui le soleil ne se lèvera pas ». « *Lest we forget* » (Nous n'oublierons pas) selon la formule consacrée. Il s'agit juste de rappeler qu'ils n'étaient pas seuls et qu'on ne peut vivre sur une histoire qui se serait arrêtée en juin 1944.

Deux très beaux films historiques, qui ont connu un grand succès dans ces années post-Brexit, témoignent de l'exaltation de cet état d'esprit héroïque : le premier, *Dunkerque*, réalisé par Christopher Nolan en 2017, qui raconte l'histoire de la flottille des petits bateaux individuels venus dans le mauvais temps et le brouillard procéder à l'évacuation des soldats britanniques (puis français) encerclés en mai 1940 dans la ville par l'armée allemande, afin de pouvoir poursuivre la guerre. Le film comme les Brexiters oublient d'ailleurs de mentionner le rôle indispensable joué par les soldats français pour permettre cette évacuation. Les journaux favorables au Brexit et les tweets des Brexiters depuis la sortie du film développent ce thème de « l'esprit de Dunkerque » qui devait permettre de se présenter en situation de force dans la négociation, et de « réussir le Brexit » envers et contre tous. Thème qui n'est pas étranger à l'assertion dès le début de la négociation : « Ils ont plus besoin de nous que nous n'avons besoin d'eux », slogan qui s'est révélé irréaliste face à la plus grande entité commerciale mondiale, solidaire, que constitue aujourd'hui l'Union européenne.

Le second film : *Les Heures sombres* réalisé par Joe Wright également en 2017. Ou l'esprit de résistance et l'héroïsme d'un seul homme, Churchill, dans un contexte extrêmement tendu, qui a changé le destin de l'Angleterre et de l'Europe. Cet homme charismatique, le plus grand héros britannique et figure tutélaire des temps modernes, dont les citations émaillent encore aujourd'hui tous les discours de ses concitoyens – même si ces derniers l'ont évincé aussitôt après la victoire en élisant en juillet 1945 le travailliste Clement Attlee –, connaît un extraordinaire regain de popularité. Boris Johnson dans une biographie de Winston Churchill publiée en 2015, intitulée *The Churchill Factor*[1], en a dressé un brillant portrait qui ressemble beaucoup à… Boris Johnson.

Le corollaire de l'Angleterre qui a sauvé l'Europe est la détestation de l'Allemagne et le mépris pour la

---

1. Boris Johnson, *Winston. Comment un seul homme a fait l'histoire*, Stock, 2015.

lâcheté – le terme est souvent employé – de ceux qui se sont laissé occuper, sans parler de collaboration. C'est principalement la France qui est visée (comme je le développerai plus loin). On le sait, la dynastie de Saxe-Cobourg et Gotha, qui a choisi au moment de la Première Guerre mondiale alors que se développait un fort anti-germanisme le nom très britannique de Windsor, a peu de sang anglais. L'on se souvient d'ailleurs des réactions lorsque la reine a souhaité épouser Philippe de Battenberg, le prince de Grèce et du Danemark de la maison dano-allemande de Schleswig-Holstein-Sonderbourg-Glücksbourg. Les sympathies nazies de ses sœurs et de ses beaux-frères qui sont restés en Allemagne ont été rappelées à la fin de la guerre. Sans parler des positions bien connues de l'éphémère et sulfureux roi Édouard VIII qui s'est rendu en voyage de noces avec Wallis Simpson en Allemagne en 1937. Le jeune couple s'est rendu à Berchtesgaden où une photo les montre à côté du Führer. Le duc de Windsor, nom adopté après son abdication, avait même visité à cette occasion un camp d'entraînement de la SS.

La haine persistante des Britanniques à l'encontre des Allemands est bien illustrée par une histoire, toujours racontée d'un ancien ambassadeur d'Allemagne à Londres qui, exaspéré de lire des articles des tabloïds qui parlaient systématiquement des nazis au lieu des Allemands, a pris un beau jour sa canne et son chapeau comme on le dit encore métaphoriquement dans les milieux diplomatiques, pour aller s'en plaindre auprès du rédacteur en chef. L'entretien a été cordial et, selon l'ambassadeur, fructueux, justifiant ainsi sa démarche.

Le lendemain, il a trouvé sur son bureau un article de ce même tabloïd dont le titre était : « Le Hun est venu défendre les nazis et est parti en claquant des talons »... Le député Bill Cash, europhobe historique, un des Brexiters les plus véhéments et dont le père a été tué vers la fin de la guerre, ne cache pas sa répulsion pour les Allemands et son refus d'une Europe sous la botte allemande.

Le thème d'un IVᵉ Reich, présenté comme la revanche d'Hitler sur l'échec militaire de la Seconde Guerre mondiale, par le biais pacifique de l'Union européenne est ressassé par les habitués des pubs. On comprend mieux l'extrême prudence pour ne pas dire le mutisme de mon collègue allemand à Londres dans la promotion ou la défense du projet européen pendant la campagne référendaire. Il est, au demeurant, curieux que le pays qui n'a pas été occupé ressente plus fortement cette haine de l'Allemagne que les pays qui ont souffert dans leur chair de l'occupation nazie, le *mea culpa* allemand ayant permis un autre regard sur l'Allemagne d'aujourd'hui à Paris, à Bruxelles ou à La Haye. En Grande-Bretagne, cette période reste déterminante et regardée perpétuellement dans le rétroviseur.

Le Royaume-Uni aime les commémorations, aime regarder son passé et se regarder. J'ai été frappée, lors de mes nombreuses pérégrinations dans les librairies londoniennes, par le regard que les Britanniques et surtout les Anglais portaient sur eux-mêmes. Au-delà du grand nombre d'ouvrages consacrés aux deux guerres mondiales et à l'histoire nationale, ce qui est courant dans tous les pays, les tables étaient souvent couvertes de livres sur l'identité. Qui sommes-nous ? Une introspection reflétant un trouble identitaire. Elle concerne plus particulièrement les Anglais chez qui les partisans du Brexit sont majoritaires, alors que progressait le nationalisme anglais au nom duquel d'ailleurs a été assassinée la jeune députée Jo Cox. Je vois dans les librairies françaises des livres sur l'histoire de France mais pas ou peu sur les Français. Si des livres y sont consacrés d'ailleurs c'est par des universitaires britanniques, comme l'*Histoire des passions françaises* en plusieurs volumes de l'historien d'Oxford Theodore Zeldin[1]. Le thème de l'*Englishness* (l'anglicité) plus que celui de *Britishness* est très présent. Les sondages ont du reste révélé que ceux qui se disent britanniques ont plus de propension à admettre la coexistence en eux de plusieurs identités, anglaise, galloise, irlandaise, écossaise mais aussi britannique et européenne, quand ceux qui se revendiquent seulement Anglais ne peuvent se concevoir Européens. Un historien connu de Cambridge, partisan du Brexit, Robert Tombs, auteur d'un livre sur l'histoire des Anglais[2], n'hésite pas à dire face aux risques d'éclatement du pays que l'Écosse n'a causé que des problèmes à l'Angleterre et que la scission serait bienvenue. Le sentiment vis-à-vis de l'Irlande du Nord est souvent similaire.

Le référendum sur l'indépendance de l'Écosse en 2014 a en outre réactivé le thème de « la question anglaise ». Tony Blair a conduit une politique de

---

1. Theodore Zeldin, *Histoire des passions françaises*, Point, 1980 et 1981 et *Les Français*, Fayard, 1983.
2. Robert Tombs, *The English and their History*, Penguin, 2015.

dévolution (décentralisation) en mettant en place en 1999 des parlements dans les trois autres nations du Royaume : Holyrood à Édimbourg, Stormont à Belfast et Senedd à Cardiff. Les responsabilités législatives se sont élargies et ces chambres sont de plus en plus actives. Si les représentants des trois nations restent néanmoins frustrés que le parlement de Westminster adoptent des lois les concernant, les Anglais se sentent également frustrés de ne pas disposer de leur propre parlement et que des députés gallois, irlandais ou écossais, que le système électoral favorise, soient appelés à se prononcer sur des sujets ne concernant que les Anglais.

Le postulat que le Royaume-Uni a sauvé seul l'Europe implique qu'il en attend reconnaissance et surtout qu'il n'en fait pas totalement partie. La Grande-Bretagne revendique un statut à part. À côté. Au nom de l'exceptionnalisme britannique.

On rappelle volontiers que si Churchill, qui a prôné, dès septembre 1946 lors du discours de Zurich à l'orée de la guerre froide, la constitution des États-Unis d'Europe en faisant valoir que « si les pays européens parvenaient à s'unir, leurs 300 à 400 millions d'habitants connaîtraient, par le fruit d'un commun héritage, une prospérité, une gloire, un bonheur qu'aucune frontière ne limiterait », il concevait cette Europe sans eux. Avec, à leurs côtés, le Royaume-Uni comme une puissance bénévolente. L'ancien Premier ministre britannique concevait son pays à la croisée de trois mondes : l'Atlantique, le Commonwealth et l'Europe, avec une priorité résolue au premier. C'était avant l'échec de l'expédition de Suez qui a signé la perte de l'influence de Londres et de Paris et l'émergence d'un nouvel équilibre du monde. La leçon tirée de cet échec a sans doute été différente à terme pour les deux protagonistes. Alors que Paris en déduisait qu'il était impératif de renforcer son indépendance, Londres en concluait à l'inverse qu'il fallait se placer sous la protection des États-Unis.

Il est amusant qu'au lendemain du référendum, les dirigeants britanniques, de Boris Johnson à Theresa May, aient pris soin à maintes reprises de préciser que, s'ils quittaient l'Union européenne, ils ne quittaient pas l'Europe. Cette affirmation m'a toujours laissée perplexe. Imaginaient-ils pouvoir s'abstraire de la géographie ou de l'histoire, certes tumultueuse, qui les lient depuis des siècles au continent européen, former un continent à eux tout seuls ou dériver vers l'ouest dans l'Atlantique pour être rattachés aux États-Unis ?

L'argument de l'Europe qui a apporté la paix, et qui, d'ailleurs, commence à s'éroder dans les autres pays membres, n'a, nous dit-on souvent à Londres, jamais fonctionné au Royaume-Uni. Pire, en ces temps de nationalisme exacerbé, sa moindre évocation suscite des réactions de rejet extrêmement violentes. On refuse de considérer, contre toute évidence, que l'UE a, sinon apporté la paix, du moins permis aux membres de l'Union européenne de vivre en paix sur la base de la réconciliation franco-allemande pendant plus de soixante-dix ans. Le but explicite de la Communauté européenne du charbon et de l'acier, la CECA, qui l'avait précédée était justement, comme l'a déclaré solennellement Robert Schuman dans le salon de l'Horloge du quai d'Orsay le 9 mai 1950, de « rendre la guerre aussi impensable que matériellement impossible » entre les puissances européennes. Quiconque ose aujourd'hui faire le lien entre l'Union européenne et la paix se fait même curieusement insulter sur les réseaux sociaux, ainsi lorsque Guy Verhofstadt avait publié un post sur Facebook sur ce thème à l'occasion de la commémoration du centenaire de la Première Guerre mondiale : « *Once we fought, now we talk* » (Hier nous nous battions, aujourd'hui nous nous parlons), en écho à la citation de Winston Churchill : « *Jaw jaw better than war war* », David Cameron, selon des révélations de son directeur de la communication, Craig Oliver, avait même explicitement interdit que ce lien soit fait à l'occasion de la commémoration de la fin de la Première Guerre mondiale

En réalité, loin des idées reçues, le thème de la paix était bien présent dans les premiers temps de l'adhésion britannique. Les électeurs du référendum de 1975 qui se sont prononcés à une large majorité en faveur de l'Union européenne, comme le rappelle Fintan O'Toole[1], avaient connu la guerre et avaient tiré la leçon que le nationalisme était dangereux et que la Grande-Bretagne ne pouvait se désintéresser du sort du continent. La campagne pro-européenne « *Britain in Europe* » évoquait le *poppy*, le coquelicot, la fleur rouge du souvenir, et avait comme logo la colombe de la paix. Des slogans tels que « *On VE Day, we celebrated the*

---

1. Fintan O'Toole, *Heroic Failure: Brexit and the Politics of Pain*, Head of Zeus, 2018.

beginnings of peace. Vote Yes to make sure we keep it » (Le jour de la victoire nous avons célébré le début de la paix. Votez oui pour la préserver) étaient explicites. Des vétérans auxquels j'ai remis la Légion d'honneur nous disent encore aujourd'hui qu'ils se sont battus pour l'Europe. Mais déjà les eurosceptiques, encore minoritaires, commençaient à dénoncer la perte de souveraineté et la nouvelle inféodation à une Europe allemande. Déjà fleurissaient les anathèmes et les insultes de collaborateurs, traîtres ou *appeasers* à l'encontre de Roy Jenkins, commissaire britannique, et des autres pro-européens. « *Get Britain out* » comparait le traité d'accession à l'UE à un nouveau Munich « qui ferait bien rire le fantôme d'Hitler ». Il est étrange que ces références reviennent encore dans la bouche d'un Boris Johnson.

Le fait que le dernier conflit en Europe occidentale fut celui entre loyalistes et séparatistes irlandais ne vient même pas à l'esprit des contempteurs de l'Union européenne. Pourtant, ce conflit qui a duré trente ans et fait quelque 3 500 victimes fut violent et meurtrier sur le territoire de l'Irlande du Nord comme sur celui de l'Angleterre. Il a frappé le pouvoir britannique au cœur et a touché jusqu'à la famille royale : lord Mountbatten, arrière-petit-fils de la reine Victoria, dernier vice-roi de l'empire des Indes, oncle et parrain du prince Charles, fut tué par l'IRA en août 1979 ; la reine elle-même ayant échappé à un attentat en Australie en 1970. En 1984 une bombe qui visait Margaret Thatcher a tué cinq personnes dans le grand hôtel de Brighton où se tenait le congrès du Parti conservateur. Il ne vient pas non plus à l'idée des partisans du Brexit que l'apaisement des tensions a commencé, comme le souligne Kevin O'Rourke[1], avant même l'accord du « Vendredi saint » du 10 avril 1998, quand les émissaires du Nord et du Sud de l'Irlande se sont rencontrés à Bruxelles, posant les bases du processus de paix.

C'est ensuite l'appartenance à l'Union européenne qui a permis de tisser des relations d'amitié. Le démantèlement des frontières y a contribué. Si ce n'est pas l'UE qui a conclu l'accord du Vendredi saint, l'envoyé spécial du président Clinton, George Mitchell, a déclaré que les pourparlers n'auraient jamais eu lieu sans l'UE. Et Bruxelles est aujourd'hui le garant et le généreux financier de cet accord de paix. Malgré cela, ce sujet fut soigneusement passé sous silence pendant la campagne référendaire.

S'agissant des relations entre Londres et les Européens, l'histoire du pays racontée par les Brexiters est celle du pauvre Royaume-Uni opprimé. Un projet damné de toute façon : entreprise socialiste pour les conservateurs et complot capitaliste pour les travaillistes. Les deux partis ont alterné au cours de leurs mandats respectifs dans leur soutien ou rejet de l'Union européenne. La conjonction de malchance est que, au moment où les europhobes prenaient l'ascendant chez les conservateurs, Jeremy Corbyn était élu à la tête du Parti travailliste. Si ce dernier ne s'est pas déclaré ouvertement anti-européen, il a veillé à maintenir une telle ambiguïté que ses électeurs ne savaient même

---

1. Kevin O'Rourke, *Une brève histoire du Brexit*, Odile Jacob, 2018.

pas quelle était la position du Labour tout en comprenant intuitivement que leur chef était favorable au Brexit.

Les europhobes du parti Tory se réclament toujours de leur héroïne Margaret Thatcher, constamment citée pour sa célèbre revendication financière : « *I want my money back* » (Rendez-moi mon argent), et le discours de Bruges en septembre 1988 s'opposant avec force aux projets fédéralistes de Jacques Delors. Ils oublient qu'elle a été une ardente europhile dans les premières années de l'adhésion, et a plaidé la cause du marché commun, que ses successeurs ont eu le souci de parachever. En 1975 elle a même déclaré soutenir l'Union européenne « du fond du cœur » en soulignant que c'était la vision européenne constante du Parti conservateur et, se référant à Disraeli, a affirmé que « si ce pays, selon une interprétation perverse de sa position géographique insulaire, prêtait une oreille indifférente aux sentiments et aux fortunes de l'Europe continentale, une telle attitude aboutirait à ce qu'il devienne un objet de pillage généralisé ». Même le fameux discours de Bruges présenté par les Brexiters comme la vérité thatchérienne sur l'Europe, exprimait plus un rejet d'une vision fédérale que de l'Union européenne elle-même. Il est vrai qu'une fois dans l'opposition, Margaret Thatcher n'a cessé de compliquer la vie de son successeur, John Major, en particulier sur ce sujet en ralliant le camp des europhobes.

Affirmer en 2016 que le Royaume-Uni n'avait aucune influence au sein de l'Union européenne était une contre-vérité. Les meilleurs esprits britanniques ont fait bénéficier l'Europe de leur expertise et l'ont en même temps marquée de leur empreinte en la faisant évoluer vers plus de libéralisme. Il suffit de le demander aux Français prompts à dénoncer la dérive libérale anglo-saxonne de l'UE, d'autant que les Britanniques ont le plus souvent réussi à se faire confier les responsabilités du commerce au sein des institutions.

Quelques grands noms viennent à l'esprit : Roy Jenkins qui fut président de la Commission de 1977 à 1981 ; Leon Brittan plusieurs fois commissaire (à la concurrence, au commerce et aux relations extérieures) avant d'être vice-président entre 1989 et 1999 ; Chris Patten, ancien chef des conservateurs qui les avait conduits à la victoire, célèbre dernier gouverneur de Hong Kong, et aujourd'hui chancelier de l'université d'Oxford, commissaire aux relations extérieures de 1999 à 2004 ; Peter Mandelson, le fameux et influent « Prince noir » à l'intelligence redoutable, commissaire au commerce de 2004 à 2008 ; Paddy Ashdown, ancien chef du parti LibDem, haut représentant à la fois de l'Union européenne et de l'ONU en Bosnie-Herzégovine ; et enfin Jonathan Hill, ancien leader de la Chambre des lords, commissaire à la stabilité financière, aux services financiers et à l'union du marché des capitaux de 2014 à 2016, qui a démissionné à la suite de la victoire du Brexit au référendum. Europol, l'agence européenne de coopération policière, a été magistralement dirigée pendant neuf ans par un Britannique, Rob Wainwright, de même que le centre de situation, embryon d'un service de renseignement européen, mis sur pied par

William Shapcott. Deux vice-amiraux britanniques ont dirigé successivement depuis la base militaire de Northwood l'une des opérations les plus réussies de l'Union européenne : l'éradication de la piraterie dans l'océan Indien par la force navale Atalante. Quand j'avais visité cet état-major, ils s'étaient tous montrés très fiers de cette opération. L'état-major opérationnel a dû être transféré en raison du Brexit en Espagne et en France. L'expertise des officiers britanniques du comité militaire à Bruxelles était particulièrement appréciée.

D'excellents représentants permanents de Sa Majesté, influents et respectés par leurs pairs, les meilleurs agents du Foreign Office, ont servi à Bruxelles. Parmi ceux que j'ai côtoyés : David Hannay, aujourd'hui à la Chambre des lords et que j'ai connu comme une des stars du Conseil de sécurité à New York ; John Kerr, également à la Chambre des lords, qui a révélé avoir été l'un des concepteurs de l'article 50 sur la clause de sortie du traité de l'UE sans imaginer qu'il serait un jour utilisé par son propre pays ; Kim Darroch, malencontreusement devenu célèbre comme ambassadeur à Washington après avoir été « poussé sous un bus » (trahi) par Boris Johnson qui ne l'a pas défendu à la suite d'une fuite d'un de ses télégrammes diplomatiques qualifiant de dysfonctionnelle et d'inepte l'administration Trump, ce qui a naturellement mis en fureur ce dernier ; Yvan Rogers, messager de nouvelles intolérables qui a eu le tort de s'appuyer sur sa maîtrise des affaires européennes pour expliquer à Theresa May que le processus serait long et complexe.

Leur expertise sans faille, leur rigueur, leur créativité et leur humour acéré, sans compter leur maniement de la langue anglaise – difficile vu le jargon technocratique bruxellois de recourir à la métaphore usuelle de la langue de Shakespeare ! –, incitaient leurs collègues à se tourner vers eux pour trouver des solutions de compromis. Contrairement à ce qu'ont pu affirmer les Brexiters, les serviteurs de l'État britannique « *public servants* », agissaient dans le cadre de leurs instructions et se prononçaient sur les propositions de la Commission. En effet, la Commission propose et les États disposent. Ce n'est donc pas un Bruxelles anonyme qui prend des décisions contraires à l'intérêt britannique.

À l'ère des États-continents, le Royaume-Uni, quoi qu'en pensent les Brexiters, ne pourra jamais renouer avec son passé conquérant, or l'Union européenne lui offrait clairement un démultiplicateur de puissance et d'influence.

Inutile de dire que les anecdotes du correspondant du *Daily Telegraph* à Bruxelles de 1989 à 1994, à savoir Boris Johnson, sur l'interdiction par l'UE des bananes incurvées, des chips aux crevettes ou du recyclage des sachets de thé, n'étaient qu'autant de petites inventions tournant la bureaucratie bruxelloise en dérision, destinées à séduire et à faire rire les lecteurs de son journal après son licenciement par le *Times* pour cause de mensonges avérés. À l'époque déjà il était surnommé « le bouffon » mais ces « euromythes », *fake news* avant la lettre qui suscitaient selon les cas agacement, amusement et haussements d'épaules de ses confrères, ont fait plus de mal que ces journalistes sérieux ne l'imaginaient alors. Ces articles ont malheureusement contribué à façonner en Grande-Bretagne la vision d'une bureaucratie européenne monstrueuse, tatillonne, absurde et prescriptrice.

Personne ne s'est donc étonné ou offusqué quand, candidat au poste de Premier ministre en juillet 2019, Boris Johnson a récidivé en brandissant, feignant l'indignation, un hareng saur que l'Union européenne aurait obligé les pêcheurs de l'île de Man à enrober d'un sac de glace. Peu importe que l'île de Man ne soit pas membre de l'Union européenne ou, mieux encore, que ce domaine ne relève pas d'une compétence communautaire mais d'une compétence nationale. L'administration britannique était au demeurant connue pour sur-réglementer à partir des directives européennes. Il y a belle lurette de toute façon que le monde occidental est entré dans l'ère de la « postvérité » – terme qui a fait son apparition dans le prestigieux dictionnaire d'Oxford comme le mot de l'année 2016 –, ou des « faits alternatifs », comme évoqué par la porte-parole de Donald Trump, Kellyane Conway, à propos de la prétendue affluence record à la cérémonie d'inauguration du nouveau président américain, démentie par les images. Elle ignorait sans doute qu'elle citait un auteur britannique, George Orwell, que l'actualité a remis à l'honneur, le nombre des ventes de sa géniale et effrayante dystopie *1984* ayant depuis beaucoup augmenté.

Un mythe qui a la vie dure, du moins de ce côté-ci de l'Atlantique, est celui de la relation spéciale avec les États-Unis fondée sur cette incontournable assertion assénée au général de Gaulle en 1944 : « Entre l'Europe et le grand large, je choisirai toujours le grand large. » Il s'agissait en l'occurrence de choisir entre Eisenhower et de Gaulle. Inventée et conceptualisée en 1946 par Winston Churchill dans son discours du Missouri connu pour la référence au rideau de fer, la relation dite spéciale s'est concrétisée au fil des années par une série d'accords dans le domaine militaire, notamment nucléaire, et du renseignement (communauté des « Five Eyes » – les cinq yeux – après participation du Canada, de l'Australie et de la Nouvelle-Zélande). Besoin de réassurance du Royaume-Uni surtout après l'expédition désavouée de Suez, ou au moment de la guerre en Irak ? Appuyée sur des relations proches entre dirigeants de chaque côté de l'Atlantique, Margaret Thatcher et Ronald Reagan, Tony Blair et George Bush, elle a pourtant fait l'objet de suspicions et de critiques. Tony Blair, qui a été un grand Premier ministre et a marqué l'histoire de son pays tout en jouissant d'une aura singulière en Europe, en décidant de coller au président américain coûte que coûte dans la catastrophique guerre d'Irak, a été caricaturé en caniche de Bush et y a laissé à jamais sa réputation. Ses propos sensés et argumentés à l'encontre du Brexit, son appel à un second référendum sont de ce fait restés inaudibles.

Surtout, cette relation est profondément asymétrique. Si le Royaume-Uni a besoin des États-Unis pour sa défense, pour Washington, la Grande-Bretagne n'est qu'un partenaire junior ou un supplétif, avec qui il est facile de communiquer en raison de la pratique de l'anglais même si, comme l'a si justement dit George

Bernard Shaw, « l'Angleterre et l'Amérique sont deux pays séparés par la même langue ». Les Américains s'amusent de cette référence constante à la relation spéciale, qu'ils reprennent toutefois à leur compte par politesse. L'ancien conseiller d'Obama, Jeremy Shapiro, a même révélé que, pour les États-Unis, cette notion n'avait pas tellement d'importance : les responsables américains veillaient à utiliser cette expression lors de conférences de presse où les Britanniques étaient représentés mais en riaient en coulisse. Donald Trump en avait une vision aussi cynique même si, de temps en temps, il y faisait allusion autant pour provoquer les Européens et les Remainers qu'il abhorre que pour plaire à son homologue populiste Boris Johnson en lui promettant un accord de libre-échange ultrarapide, dont les termes n'auraient au demeurant pas été favorables aux Britanniques, rapport de force oblige.

En poste à la mission permanente de la France auprès des Nations unies dans les années quatre-vingt-dix, j'avais été frappée par le commentaire spontané d'un de mes collègues, anglais jusqu'au bout des ongles, qui m'avait dit un jour que, depuis qu'il vivait aux États-Unis, il se sentait européen, et pourtant c'était à New York à l'époque Clinton et pas dans l'Amérique profonde de Trump.

Depuis, le fossé s'est encore élargi et le 45ᵉ président des États-Unis est honni dans l'élite britannique et la jeunesse à cause de son racisme, de sa misogynie mais plus encore de sa vulgarité.

Le contraste est saisissant à cet égard entre la visite officielle du président américain à Paris à l'occasion des cérémonies du 14 juillet 2017, qui n'a suscité aucune remarque désobligeante du public, et les épisodes des visites annoncées ou réalisées de Donald Trump à Londres qui ont provoqué des manifestations d'une hostilité sans précédent. Lorsque Theresa May, peu après son entrée en fonction, s'est empressée de se rendre à Washington et d'inviter le président américain pour une visite d'État, le centre de Londres s'est embrasé et a été bloqué par une manifestation de protestation. L'argument principal était qu'une telle rencontre serait une offense à la reine. Le président de la Chambre des communes a indiqué pour sa part qu'il ne recevrait pas au Parlement de Westminster un personnage aussi raciste et misogyne. Le maire de Londres, qui n'avait pas digéré les positions de Trump vis-à-vis des musulmans et les insultes personnelles à son égard, s'est également élevé contre cette visite. Face aux risques, la visite d'État a été reportée. Une visite officielle a eu lieu plus tard en 2018 et a dû être confinée à Windsor alors que la fameuse baudruche représentant Trump en bébé rose joufflu avec une immense mèche jaune et une couche-culotte se déployait dans le ciel de Londres. La visite d'État a finalement eu lieu en 2019 avec le retour de bébé Trump dans les airs. L'embarras et le rejet sont liés précisément au fait que ces deux pays sont séparés par la même langue et qu'existe un lien de filiation qui fait un peu honte aux Anglais. « Ah si seulement ils ne parlaient pas anglais[1] », titre du livre

---

1. Jon Sopel, *If only they didn't speak English. Notes from Trump's America*, BBC Digital, 2017.

de Jon Sopel, correspondant de la BBC à Washington pendant plusieurs années et notamment au moment de l'élection de Donald Trump, cela permettrait d'entretenir des relations plus normales. Jon Sopel souligne cette relation passionnelle du seul côté britannique, *unrequited love* (amour non partagé), car, à l'exception des événements royaux qui fascinent les Américains, ces derniers sont assez indifférents à la vie politique britannique. L'élection de David Cameron en 2010 n'a, selon Jon Sopel, même pas été évoquée dans les journaux télévisés outre-Atlantique.

Certes Trump trouve grâce aux yeux de Nigel Farage et de Boris Johnson, l'un par affinité, ce qui a incité le président américain à enjoindre au gouvernement britannique de le nommer ambassadeur à Washington et plus tard de suggérer une alliance Farage-Johnson pour les élections générales de décembre 2019 sans que cela suscite d'ailleurs de protestations d'ingérence de la part des Brexiters ; l'autre, surtout par nécessité pour démontrer les dividendes de son fantastique Brexit. En outre, même si sa culture classique l'en différencie, Boris Johnson est sûrement fasciné par le succès de celui qui lui ressemble tant par son style populiste et bouffon que par sa chevelure jaune indisciplinée.

Le nouveau Premier ministre a en effet besoin de prouver la possibilité d'un accord favorable de libre-échange avec Washington. C'est pourtant, dans la réalité, se placer encore plus en situation de dépendance qu'avec l'UE où Londres est à la table de négociation sur un pied d'égalité. Comme il se dit dans la vie internationale, si vous n'êtes pas à la table c'est que vous

êtes au menu… Trump a soufflé comme à l'accoutu-
mée le chaud et le froid, annonçant un accord de libre-
échange formidable, puis indiquant que les services
de santé auxquels tiennent tant les Britanniques pourraient être privatisés en partie, et enfin avertissant que
les Britanniques pourraient dire adieu à tout accord
de libre-échange si Londres persistait à imposer une
taxe aux GAFA. La menace s'est encore précisée, dans
le contexte de la guerre froide avec la Chine, concernant le recours à Huawei pour le système de communi-
cations britannique. Londres a dû faire marche arrière
à cet égard en retirant l'autorisation accordée à Huawei
sous certaines conditions. Quant au respect des normes
sanitaires et la protection du consommateur anglais,
il est clair que cela n'était pas la priorité de Trump
et que le poulet chloré aurait été mis au menu des
Britanniques. Au nom du Brexit ! Même si les membres
du cabinet britannique se sentaient périodiquement
obligés de réaffirmer qu'ils ne l'accepteraient pas. Un
tel chantage ne semble pas déranger les Brexiters, qui
s'étaient indignés de l'ingérence d'Obama mettant en
garde contre le risque d'être en queue de liste pour la
négociation d'un accord de libre-échange en cas de
Brexit. Est-ce vraiment cela reprendre le contrôle ?

Qu'il le veuille ou non, le destin du Royaume-Uni
est beaucoup plus déterminé par l'Europe que par le
reste du monde. Même David Cameron, dans son discours de Bloomberg qui a annoncé le référendum, en
janvier 2013, a rappelé dans une belle formule : « Des
légions de César aux guerres napoléoniennes, de la
Réforme, des Lumières et de la révolution industrielle

à la défaite du nazisme, nous avons contribué à l'écriture de l'histoire de l'Europe, et l'Europe a contribué à écrire la nôtre. » Or, au bout du compte, avec le Brexit, Londres va rompre avec toute son histoire et sa politique constante qui a consisté à veiller à ce qu'aucune alliance ne se constitue contre elle sur le continent. Le concert européen, conceptualisé par un penseur anglais, David Hume, au XVIIIᵉ siècle, était caractérisé par l'équilibre des puissances destiné à assurer la sécurité de l'Angleterre. Le Royaume-Uni aura réussi à coaliser un bloc continental de vingt-sept pays contre lui. Ce fameux blocus organisé par Napoléon, dont l'Angleterre avait la hantise. Sans doute, les dirigeants britanniques ont-ils pensé pouvoir comme autrefois diviser pour régner (*divide and rule*), comme sir Humphrey, dans la série *Yes Minister*, l'expliquait cyniquement au ministre fraîchement arrivé en fonction, en précisant que la raison de l'adhésion britannique à l'Union européenne en 1973 était en réalité de pousser de l'intérieur du système les Français contre les Allemands, les Allemands contre les Italiens, etc. Or l'adjointe de Michel Barnier avait démontré avant le début des négociations devant des ambassadeurs français en Europe que, si chacun des États européens pouvait avoir un intérêt sur tel ou tel sujet à développer avec Londres une relation bilatérale avantageuse, sur l'ensemble du spectre de la relation ce n'était pas le cas. Alors que Londres prétendait détenir toutes les cartes, la solidarité des vingt-sept s'est imposée, non par idéologie, dogmatisme ou volonté de punir, juste par pragmatisme et intérêt bien compris.

Rêvant du retour à un passé glorieux, le Royaume-Uni se présente aussi, paradoxalement, en victime de l'Union européenne. Certains estiment même que leur pays a été « vassalisé » par la Commission, leur bête noire, comme les monarques catholiques le faisaient autrefois. Henri VIII avait donc repris le contrôle en rompant avec Rome, confisquant au passage tous les biens de l'Église. Une rupture avec le continent, un premier Brexit ? Dont la raison première était personnelle : divorcer d'avec Catherine d'Aragon pour épouser Ann Boleyn...

Une caricature, qui a eu du succès sur les réseaux sociaux, est une parfaite illustration de cette attitude tout à la fois arrogante et victimaire : dans la première image, un homme au sourire éclatant et goguenard affirme : « Vous avez plus besoin de nous que nous de vous » ; dans la deuxième image le sourire est moins large, assurant tout de même que « Le Royaume-Uni aura le beurre et l'argent du beurre » ; le dernier croquis montre un homme au visage fermé qui se plaint d'être maltraité (« *you bully us* »). Ce que les Britanniques appellent eux-mêmes le *reality check*, la confrontation avec la réalité, même si un retour d'hubris et de pensée magique peut animer Boris Johnson.

C'est encore cette conviction d'exceptionnalisme et le souhait de se démarquer des stratégies des autres pays européens qui ont inspiré la gestion de la crise sanitaire du printemps 2020 par Boris Johnson. Le moins qu'on puisse dire est que les résultats n'ont pas été probants et ont commencé à susciter des critiques acerbes jusque dans son propre camp.

Chapitre 3

« That sweet enemy », ce doux ennemi

Cet oxymore, titre du livre d'un historien de Cambridge, Robert Tombs déjà cité, et de son épouse française, Isabelle, « ce doux ennemi », chanté par le poète Philip Sidney au XVIe siècle, ou « ces ennemis intimes[1] » dans la traduction française de l'ouvrage, illustre parfaitement cette relation si spécifique entre le Royaume-Uni et la France. Pays fortement imbriqués – les rois d'Angleterre portant le titre de rois de France jusqu'en 1801 – et en guerre au fil des siècles, ils sont en paix depuis plus de deux cents ans mais leur rivalité faite d'attraction et de rejet n'a jamais cessé. L'humour en plus ou… en moins.

L'Angleterre est véritablement née le 14 octobre 1066 à Hastings, lorsque Guillaume le Conquérant, originaire de Falaise en Normandie, a vaincu le roi saxon Harold. C'est un acte de naissance et une date

---

1. Robert et Isabelle Tombs, *La France et le Royaume-Uni. Des ennemis intimes*, Armand Colin, 2012.

fondatrice ambigus car c'est une victoire française (normande), dont l'épopée est retracée dans la tapisserie de Bayeux. Ce chef-d'œuvre de l'art roman, appelé autrefois explicitement *telle du Conquest* (toile de la Conquête), souvent considéré aussi comme l'ancêtre de la bande dessinée, a fait l'objet de l'annonce d'un prêt au Royaume-Uni par le président de la République. C'est ce fait historique qui a fait dire à Georges Clemenceau que l'Angleterre était « une colonie française qui a mal tourné »...

En écho à la partie héroïque du fameux discours hostile à l'intervention en Irak prononcé par Dominique de Villepin, alors ministre des Affaires étrangères, au Conseil de sécurité des Nations unies en 2003 (« C'est un vieux pays, la France, d'un vieux continent comme le mien, l'Europe, qui vous le dit aujourd'hui... »), Jack Straw, son homologue britannique, sur une ligne radicalement opposée à la nôtre, avait commencé avec humour son intervention en déclarant : « Je viens d'un vieux pays fondé par la France. » Il a avoué ensuite avoir hésité à dire « envahi par la France »...

J'ai été invitée en octobre 2016 dans la petite ville de Battle, au lieu même où le roi Harold a trouvé la mort, pour la commémoration du 950e anniversaire de la bataille, par l'« Association 1066 », gérée par de charmants gentlemen d'un certain âge qui avaient organisé une sympathique réception, suivie le lendemain d'une reconstitution en costumes. La députée de Hastings, Amber Rudds, également ministre de l'Intérieur, était présente. Nous avons ensuite tous été conviés à faire un point de broderie dans le long tissu de lin reconstituant les scènes finales aujourd'hui disparues de la tapisserie originale, qui représentent l'historique de la ville après la bataille. Cette broderie a été reproduite dans un joli puzzle en bois qui m'a été offert et que j'ai fini d'assembler pendant un week-end londonien pluvieux. C'était amical, bon enfant mais relativement discret et quasi confidentiel. J'ai été étonnée de voir le lendemain, en une du *Financial Times*, la photo de la reconstitution en costumes. Mais le contraste est fort avec la publicité et la profusion de moyens déployés pour les commémorations officielles des victoires emblématiques contre la France : Azincourt, Trafalgar et surtout Waterloo.

L'influence de la présence normande a été forte et durable sur l'organisation politique et sociale, mais aussi sur la langue car la noblesse normande a utilisé le français pendant deux cents ans. Georges Clemenceau a pu ironiser également sur ce sujet en décrivant l'anglais comme « du français mal parlé »… L'anglais n'est devenu langue écrite qu'à la faveur de la guerre de Cent Ans car il a été jugé alors intolérable d'utiliser la langue de l'ennemi. Luttant aujourd'hui jalousement contre l'utilisation de l'anglais – devenu à notre corps défendant *lingua franca* – et les anglicismes, nous oublions que 40% des mots, soit des milliers, de la langue anglaise contemporaine sont d'origine française, notamment dans le domaine juridique et politique, y compris le mot *Parliament* qui incarne l'autorité politique suprême et indépassable, comme les Brexiters n'ont cessé de le proclamer pendant la campagne. Ce Parlement de Westminster devenu, avec Big Ben, l'emblème de Londres, est gardé fièrement par Richard

Cœur de Lion, fils d'Aliénor d'Aquitaine, sur son cheval de pierre. Je me suis interrogée à mon arrivée sur l'origine du nom de Portcullis, extension contemporaine du Parlement où les députés reçoivent leurs visiteurs, y compris les ambassadeurs, dans leurs bureaux ou dans l'atrium arboré d'où ils peuvent entendre la sonnerie impérative requérant leur présence à un vote. Ce nom à la consonance mystérieuse signifie tout simplement « porte coulissante » ou « herse ». En français également la devise figurant sur les armoiries de la reine : « Dieu et mon droit » ou « Honni soit qui mal y pense » ; en français encore l'approbation donnée par la reine aux actes du même Parlement : « La reyne le veult. »

La langue anglaise compte par ailleurs de nombreux synonymes avec des mots saxons et leur équivalent normand. Pour l'anecdote, les appellations des animaux vivants, mouton, vache/bœuf et veau, sont d'origine saxonne (*sheep, cow, calf*) alors que celles des animaux à consommer que seule pouvait s'offrir l'aristocratie sont d'origine normande (*mutton, beef, veal*). Les menus sont au demeurant rédigés en français dans les dîners d'État à Buckingham Palace et les mets servis dans la vaisselle de Sèvres turquoise offerte par Louis XVI à la duchesse de Manchester. Talleyrand, ambassadeur à Londres de 1830 à 1834, dont un portrait majestueux trônait à mon époque dans l'escalier de la résidence de l'ambassadeur de France, communiquait encore en français avec le Foreign Office. Ce n'est qu'en 1834 que lord Palmerston, ministre des Affaires étrangères emblématique, grand promoteur de la puissance anglaise, décida d'imposer la langue anglaise dans la correspondance diplomatique. Palmerston a naturellement donné son nom au « diplocat », le chat diplomatique noir et blanc du Foreign Office dûment doté d'un compte Twitter, chargé de régler le cas des nombreuses souris de ce vieux et auguste bâtiment. Le petit félin chasseur de souris a été accusé très sérieusement par un député pendant la campagne référendaire d'être un agent secret de Bruxelles qui lui aurait greffé un micro espion ! Il n'a d'ailleurs rien à envier à son illustre voisin Larry the cat du 10, Downing Street, qui adopte souvent sur son compte Twitter des positions dissidentes de celles du propriétaire des lieux.

On ignore souvent que des mots à consonance typiquement anglaise viennent en réalité du français, ainsi le mot *foreign* ou *foreigner* (étranger) tant entendu pendant la campagne référendaire vient du mot français « forain ». Aux racines historiques se sont ajoutées au fil des ans des mots à consonance chic : raison d'être, rendez-vous, déjà-vu…, une langue dominante étant moins obsédée par la protection contre les apports étrangers. À la veille de mon affectation à Londres, mon collègue britannique à Pékin m'avait conseillé, alors que j'exprimais la crainte qu'un mot ne m'échappe lors d'une interview, de recourir au français : les interlocuteurs ou auditeurs seraient flattés d'être considérés comme des gens cultivés. C'est au demeurant le conseil de la Reine Rouge à Alice : « Parle français quand tu ne trouves pas le mot anglais pour désigner un objet. »

La famille royale entretient un lien particulier avec notre culture et notre langue. La francophilie de la reine mère a été transmise à sa fille. La reine Elizabeth parle admirablement et avec dilection notre langue. Elle apprécie d'ailleurs notre pays, où elle a effectué cinq visites d'État et quelques visites privées liées à l'acquisition de chevaux. Amour partagé car elle a été reçue avec ferveur par les Français et son nom a été donné au marché aux Fleurs en bordure de Seine. Le prince Charles, que j'avais invité à visiter le bâtiment français en rade de Cardiff lors du sommet de l'OTAN de Newport en septembre 2014, avait fait savoir qu'il tenait à s'adresser aux marins en français. La princesse Anne, qui en mai 2015 a honoré de sa présence la cérémonie de célébration du centenaire du lycée français de Londres, rebaptisé lycée Charles-de-Gaulle en 1980, s'est adressée aux élèves dans notre langue en souvenir de son enseignante française issue de ce prestigieux lycée. Tradition malheureusement perdue avec les jeunes générations royales. J'avais envisagé de proposer les services d'une gouvernante française aux petits princes, George, troisième dans l'ordre de la succession, et Charlotte, née pendant mon séjour à Londres. Trop compliqué à mettre en œuvre de nos jours. C'est dommage.

La France est entourée de nombreux voisins, victimes naturelles de nos préjugés ou de nos moqueries plus ou moins également répartis. Pour ce qui concerne « notre ennemi héréditaire », l'accusation de duplicité et d'hypocrisie est reflétée par le terme de « perfide Albion » qui remonte à Bossuet et à Mme de Sévigné, et s'est épanoui au XIXᵉ siècle dans la famille Fenouillard, célèbre feuilleton en bande dessinée, chez

qui tout était la faute de la perfide Albion qui avait
« brûlé Jeanne d'Arc sur le rocher de Sainte-Hélène »...
Mais la France étant le seul grand voisin du Royaume-
Uni, cela nourrit l'obsession française et donc le *French
bashing.* Dès le Moyen Âge, d'ailleurs, avait cours le
dicton « *Always blame the French* ». Cela fait pleinement
partie de la culture britannique, non dépourvue d'humour, mais pas toujours... et d'ailleurs anglo-saxonne,
car le même dénigrement existe outre-Atlantique et se
concentre aujourd'hui, après la période délicate de nos
désaccords relatifs à la guerre de 2003 contre l'Irak,
sur notre aversion supposée à la mondialisation, au
libéralisme et même aux entreprises. Dans un épisode
de la remarquable série culte de la BBC des années
quatre-vingt, indispensable à la compréhension de la
vie politique anglaise, *Yes Minister* suivie de *Yes Prime
Minister,* sir Humphrey, le très oxfordien secrétaire permanent interroge le Premier ministre sur sa visite à
Washington. Ce dernier lui répond d'un air satisfait et
amusé que tout s'est très bien passé : le président américain et lui-même ont commencé à lire leurs notes à
haute voix puis les ont échangées afin de ne pas perdre
de temps et de s'adonner au traditionnel « *usual French
bashing* ».

Calais, retour de l'histoire, est le point de passage
obligé entre nos deux pays. Sur son lit de mort, Mary
Tudor – Bloody Mary, Marie la Sanglante – avait dit que
si l'on ouvrait son cœur l'on y trouverait gravé le nom
de Calais, reconquis par le duc de Guise et revenu à la
couronne de France en 1558 après deux cent onze ans
d'occupation anglaise.

Et Calais est resté une épine dans le pied à cause de « la jungle » et des tentatives, souvent violentes, de passage de migrants attirés par l'eldorado que représentait Londres à leurs yeux. Lorsque je suis arrivée au Royaume-Uni, le sujet était encore peu évoqué en France, du moins au niveau national, alors que la télévision britannique montrait quotidiennement des sortes d'attaques de diligence, sur les camions immatriculés au Royaume-Uni, par des bandes de jeunes migrants très agressifs. Plusieurs fois j'ai dû expliquer la situation à la télévision, où les journalistes nous reprochaient successivement d'être incapables de faire la police pour empêcher les passages, puis lorsque les conditions de sécurité ont été renforcées en vertu de l'accord conclu entre Theresa May et Bernard Cazeneuve, en août 2015, de laisser vivre les migrants dans des conditions inhumaines dans des taudis innommables, et enfin lorsque nous en avons détruit la zone sud pour les reloger en dur dans des conditions moins inconfortables, de détruire ce qu'ils considéraient tout à coup comme de merveilleux lieux de convivialité. Comprenne qui pourra. Pendant cette période, tous les vendredis soir, des dizaines d'activistes anarchistes de « No Border » montaient en gare de Saint-Pancras pour se rendre à Calais afin de convaincre les migrants de passer à tout prix au Royaume-Uni, où on leur assurait qu'ils étaient attendus et qu'ils seraient bien accueillis. Mission qu'ils partageaient, pour certains de bonne foi, avec des réseaux de trafiquants dont le souci était autre que celui du bien-être des migrants. Retour le dimanche soir à Londres, mission accomplie, et les migrants risquaient de nouveau leur vie pour franchir le tunnel afin de trouver une terre d'accueil supposée hospitalière.

Le sujet a été brûlant dans le contexte du référendum sur le Brexit, dont l'hostilité à l'immigration était un point crucial. David Cameron a tenté sans succès de laisser entendre qu'en cas de sortie de l'Union européenne la France reviendrait sur l'accord bilatéral du Touquet de 2003 après la fermeture du camp de Sangatte, qui confiait le contrôle à la police française, et repousserait la frontière à Douvres où les migrants débarqueraient en masse. La situation s'est un peu apaisée lorsque la France a détruit définitivement la jungle, réparti la majorité des migrants dans d'autres régions et coopéré avec le Royaume-Uni pour l'accueil de personnes ayant de la famille, ou des mineurs isolés, conformément à l'amendement Dubs – du nom d'un lord qui, à l'âge de six ans a fait partie des *Kinderstransport*, trains des enfants juifs fuyant le nazisme accueillis en Grande-Bretagne. Bien sûr, l'affaire n'est pas close car même si la jungle a été rasée et les migrants répartis ailleurs en France, les Britanniques ayant consenti à recevoir certains réfugiés, ceux qui continuent d'arriver sur nos côtes sont originaires du Soudan, de Somalie, d'Érythrée ou d'Afghanistan. Ils parlent anglais et souhaitent rejoindre le Royaume-Uni où vivent déjà des communautés importantes originaires de leurs pays. Les tentatives de gagner la frontière se font désormais sur de petites embarcations. Elles suscitent l'indignation des Brexiters excités de nouveau par Nigel Farage qui dénonce une invasion, alors qu'existe une coopération bien rodée entre les services britanniques et français et que, par ailleurs, le chiffre de ces migrants potentiels est bien inférieur aux demandes d'asile en France et en Allemagne.

Bien avant cela, il faut se souvenir que les Anglais défavorables à l'ouverture vers le continent étaient hostiles à la construction du tunnel sous la Manche sous prétexte que des renards français enragés risquaient d'envahir l'Angleterre.

Calais n'est pas le seul nom évocateur. On peut égrener ces noms de batailles au sujet desquelles Alphonse Allais disait que les Anglais étaient des gens vraiment bizarres qui, contrairement à nous, donnaient à leurs rues et à leurs places des noms de défaite : Trafalgar, Waterloo… De fait chaque club, ou réfectoire, ou maison d'étudiants porte le nom de ces glorieuses victoires sur la France. Les plus francophiles des lords ne peuvent résister au plaisir, lorsqu'ils nous invitent pour un déjeuner ou une *cup of tea* agrémentée de scones et de crumpets, de nous faire admirer le tableau de la bataille de Trafalgar qui trône dans la salle à manger *cosy* de la Chambre haute.

La commémoration du 200ᵉ anniversaire de la bataille de Waterloo en 2015 a été un summum, et une étrange expérience pour moi. Les passions étaient tellement fortes et souvent hors de propos que j'avais l'impression que cette bataille, au sujet de laquelle je n'avais pas, comme disent les Anglais, de *strong feelings* (des idées bien arrêtées ou de sentiments particuliers), s'était déroulée non pas deux cents mais deux ans auparavant. Napoléon était souvent comparé à Hitler, en tout cas perçu essentiellement comme un conquérant sanguinaire, comme si les empires alliés à la Grande-Bretagne ligués contre lui, l'Empire austro-hongrois, la Prusse et la Russie étaient alors des démocraties progressistes.

Les tabloïds étaient particulièrement virulents et m'accusaient de soutien à sa tentative violente de conquérir l'Europe ou mieux de déni de la défaite de Napoléon à Waterloo. Un livre de Stephen Clarke, qui avait publié auparavant *1 000 Years of Annoying the French*[1], « 1 000 années à embêter les Français », a publié pour l'occasion, un nouveau livre intitulé avec humour *Comment les Français ont gagné Waterloo*. Toujours est-il que les six mois qui ont précédé la commémoration ont été l'occasion de critiques ou d'allusions plus ou moins fines. Les *opening jokes* des discours, et même ceux des prêtres, sans lesquels il n'y a pas de cérémonies qui tiennent – à l'instar du sermon du prêtre d'Oxford lors de la prestigieuse cérémonie, en latin, de remise des doctorats *honoris causa* où j'avais été invitée par le chancelier Chris Patten –, y faisaient chaque fois allusion. Une exposition de caricatures, particulièrement cruelles de George Cruikshank ou de Thomas Rowlandson représentant l'araignée corse dans sa toile, au British Museum illustrait ce degré de détestation pour celui que les Anglais appelaient Bonaparte ou « *Little Boney* » en cherchant à diminuer et ridiculiser cet ennemi charismatique. L'inauguration a été faite par le directeur du musée, le très respecté Neil

---

1. Stephen Clarke, *1 000 ans de mésentente cordiale*, Nil, 2012 et *Comment les Français ont gagné Waterloo*, Albin Michel, 2015.

MacGregor, et le très grand écrivain Julian Barnes, francophone et francophile. Celui que l'on considère à Londres à juste titre comme « l'ambassadeur permanent de la France au Royaume-Uni », qui nous décrit toujours avec une tendresse mêlée d'humour, et à qui j'ai eu la fierté de remettre la Légion d'honneur à la résidence de France, a dans un discours humoristique et subtil rappelé les qualités exceptionnelles d'administrateur de Napoléon.

J'avais accepté l'aimable invitation personnelle aux cérémonies de commémoration des Wellesley, descendants du duc de Wellington, pour célébrer, « dans un esprit d'amitié », les deux cents ans de paix entre nos deux pays. Comme cela coïncidait avec une date emblématique pour nous s'il en est, j'ai présidé cette année-là plus tôt dans la matinée la cérémonie annuelle de commémoration de l'appel du 18 juin au pied de la statue du général de Gaulle inaugurée en 1993 par la reine mère, à Carlton Gardens où se trouvait son quartier général pendant la guerre et dont on peut encore visiter le bureau reconstitué orné d'un drapeau de la France libre. J'ai assisté ensuite à la messe du souvenir à l'abbaye de Westminster en compagnie de la famille royale.

J'ai participé aussi le soir au banquet de quelque sept cents couverts organisé à Guildhall, où le descendant du maréchal prussien Blücher est arrivé, sous les applaudissements, comme son ancêtre à Waterloo au beau milieu de la bataille, juste avant que soit servi le plat, un bœuf Wellington comme il se doit, suivi du dessert intitulé pour faire bonne mesure « millefeuille

Napoléon ». Une collègue allemande plaisantant à la sortie sur le fait qu'il était confortable pour une fois d'être du bon côté, j'ai pensé en effet à nos collègues d'outre-Rhin qui chaque année se faisaient un devoir d'assister aux cérémonies de nos victoires au cénotaphe à Londres et devant d'autres monuments aux morts dans le monde. Je n'étais évidemment pas du banquet annuel répliquant celui de la victoire du 18 juin 1815 à Apsley House, la demeure des ducs de Wellington, mais j'ai eu l'occasion de visiter ce lieu unique dont l'adresse à l'entrée de Hyde Park est, simplement, « *Number One, London* ». L'obsession du grand homme domine : portraits de Napoléon et de sa femme Joséphine, sans compter la gigantesque statue sculptée par Canova de Napoléon nu en Mars désarmé et pacificateur qui accueille le visiteur dans l'escalier.

Autres lieux, autres narratifs ou storytellings qui illustrent bien le fait que l'histoire est autant faite d'interprétations que d'événements : les Russes ont célébré en 2012 le bicentenaire de la bataille de Borodino, ou de la Moskova pour les Français (le 205e anniversaire, le 7 septembre 2017, coïncidait avec le jour de mon arrivée en Russie). Là, pas de rancœur, au contraire, l'épopée de Napoléon fascine. Des familles ont conservé des bustes de Napoléon. Des reconstitutions enthousiastes ont régulièrement lieu. Lorsque, quelques mois plus tard, en mars 2018, je suis arrivée dans un palais aux portes de la capitale russe où était organisé un déjeuner pour l'anniversaire de Mikhaïl Gorbatchev, la jeune femme qui m'accueillait à l'entrée m'a même dit en souriant et presque avec fierté que c'était de l'une des chambres de ce palais que Napoléon avait regardé brûler Moscou…

Autre bataille emblématique contre la France : Trafalgar. Je n'ai pas vécu la commémoration du bicentenaire en 2005 mais, en janvier 2015 au lendemain des attentats contre *Charlie Hebdo*, lors de la veillée organisée avec la communauté française, à laquelle ont participé spontanément de nombreux Britanniques à Trafalgar Square illuminé aux couleurs du drapeau français en hommage aux victimes, une petite affiche « Je suis Charlie » avait été collée au beau milieu de la colonne de l'amiral Nelson…

Un autre moment très émouvant qui a illustré cette communauté de destin est l'invitation de David Cameron au stade de Wembley pour le match amical France-Angleterre au lendemain des attentats du Bataclan. Le Premier ministre britannique, qui avait été l'un des premiers dirigeants à accepter de participer à la grande marche du 11 janvier 2015 après les attentats contre *Charlie Hebdo* et le premier, bientôt imité par Barack Obama et Angela Merkel, à venir s'incliner et déposer une rose blanche sur les lieux du drame du Bataclan, avait souhaité que les joueurs anglais et français chantent *La Marseillaise* en chœur. Les paroles qui défilaient sur les écrans géants étaient reprises par David Cameron et le prince William ainsi que par Boris Johnson dans les tribunes. Le président Macron a à son tour invité dans le même esprit de solidarité Theresa May en 2017 à l'occasion d'un match amical au stade de France à Saint-Denis après les attentats de Westminster et de Manchester.

Parmi les temps forts les plus émouvants de mon mandat, figure la remise des Légions d'honneur aux vétérans du débarquement. Contrairement aux anciens combattants américains, canadiens et australiens qui avaient été nombreux à se voir décerner cette médaille, les Britanniques n'avaient pas reçu ce signe de reconnaissance à la suite d'une proposition restée sans réponse du président Chirac aux autorités britanniques. Ce n'est qu'à l'occasion de la visite d'État de la reine pour l'anniversaire du débarquement en juin 2014 que le président Hollande avait annoncé sur les plages de Normandie que tous les vétérans britanniques la recevraient. Cela a alors été une course contre la montre car, à la surprise générale, nous avons reçu près de cinq mille demandes, souvent relayées par des membres du Parlement. Il a fallu présenter en urgence à la grande chancellerie autant de dossiers individuels de faits d'armes validés par le ministère de la Défense britannique et se procurer le nombre correspondant de médailles pour ces gentlemen – une seule femme qui a travaillé dans les services de décodage a été récipiendaire – âgés de quatre-vingt-dix à cent un ans. Par la suite, d'autres demandes sont parvenues et des femmes ayant un profil similaire ont pu être décorées.

Ils venaient à la résidence avec leurs familles, conjoints, enfants et petits-enfants qui entendaient souvent parler pour la première fois de leurs actes héroïques, lus par les élèves des lycées français « jumeaux » Charles-de-Gaulle et Winston-Churchill. La BBC et d'autres télévisions ou radios ont toujours été présentes pour recueillir leurs témoignages et leur gratitude. Gratitude qui n'a d'égale que la reconnaissance que nous leur devons. J'avais peine à cacher mon émotion lorsque ces vétérans, y compris ceux qui étaient en fauteuil roulant, se levaient et se mettaient au garde-à-vous aux premières notes de *La Marseillaise*, dont certains chantaient les premiers vers. Beaucoup retournaient presque chaque année voir les familles qui les avaient accueillis en Normandie. Certains m'ont dit qu'ils ne voulaient pas mourir avant ce jour de reconnaissance. Un fils m'a confié un jour que son père, mort depuis, avait arboré à l'hôpital cette décoration dont il était très fier. Beaucoup m'ont écrit pour remercier la France. J'ai reçu des lettres très touchantes de solidarité après les attentats terroristes. Certains ont pris position publiquement contre le Brexit, qui leur paraissait aberrant et en contradiction avec leur intervention pour libérer le continent de la barbarie nazie.

Cette fraternité d'armes a été célébrée également pendant les commémorations de la Première Guerre mondiale, en particulier lors du centenaire de la bataille de la Somme, où je suis arrivée avec les participants britanniques par un Eurostar spécial ayant quitté Londres tôt le matin. Cérémonie sobre, digne et émouvante au cimetière de Thiepval où le très charismatique acteur de théâtre shakespearien, de *Game of Thrones* et Lord Mountbatten dans la série « The Crown », Charles Dance, a lu d'une voix profonde et envoûtante les lettres des soldats à leurs familles, avant que ne tombe une pluie de coquelicots et de bleuets en papier, des champs de la Somme.

Aujourd'hui, cependant, les Anglais sont persuadés
que les Français veulent les « punir », tel est le terme
utilisé, pour quelque chose qu'ils se sont au demeurant infligé à eux-mêmes sans vouloir en accepter les
conséquences. Ainsi, lorsque, aux premières vacances
post-Brexit, des queues interminables se sont formées
à l'approche des ferries, pour des raisons de sécurité
dont les forces de police britanniques et françaises sont
coresponsables, la twittosphère britannique s'est indignée des mesures prétendument prises pour les punir
du Brexit. Ce terme de « punition » revient souvent
notamment dans la bouche d'un Boris Johnson qui a
accusé la France d'être à la tête d'une brigade punitive
(« *punition squad* »). Et périodiquement les *grumpy old
men*, de vieux grincheux, entendant parler notre langue
dans le métro, accusent avec agressivité les Français de
lâcheté en se référant à la période d'occupation et se
disent satisfaits de quitter l'Union européenne en nous
laissant à la merci des Allemands. Tous les promoteurs
du Brexit ne détestent d'ailleurs pas la France, tant s'en
faut, puisque certains, comme Nigel Lawson, l'ancien
chancelier de l'Échiquier, ou Lord Rothermere, le propriétaire du *Daily mail*, étaient installés dans notre pays,
mais la perception de l'étranger, ce « forain », a compté
de manière prépondérante dans la campagne du Brexit.
  La relation bilatérale essentielle pour nos deux pays
devra être reconstruite après le Brexit, d'autant que la
négociation entièrement confiée au négociateur européen a délibérément limité les contacts bilatéraux.
Avant la pandémie de Covid, douze à treize millions
de voyageurs britanniques franchissaient chaque année

nos frontières notamment pendant les vacances, et le Royaume-Uni est notre premier excédent commercial dans le monde. Une solidarité très forte s'est développée dans le domaine de la défense et de la sécurité. En 2021, sera célébré à cet égard le dixième anniversaire du traité de Lancaster House qui avait notamment décidé la création d'une force expéditionnaire interarmées franco britannique de dix mille hommes. Certains des projets communs, tel celui du développement de drone de combat du futur, ont toutefois déjà été abandonnés pour être menés avec l'Allemagne. Le Royaume-Uni n'appartiendra plus au même club que nous et privilégiera d'autres alliances, avec l'OTAN et les États-Unis. Ce ne sera plus la même chose.

Chapitre 4

Les passions contre la raison : la campagne

Quel observateur, y compris autochtone, de la vie politique – policée – ou de la société – flegmatique – britanniques aurait prédit une telle irruption des passions ? Il semblait acquis que l'Europe ne faisait pas rêver au Royaume-Uni et que la campagne se ferait faits contre faits, arguments contre arguments. C'est sans doute cette certitude qui a convaincu David Cameron qu'au bout du compte, même sans enthousiasme, la raison l'emporterait. On s'attendait certes à ce que les arguments des uns et des autres soient assortis d'une dose inévitable de fausses promesses qui n'engagent, on le sait, que ceux qui les écoutent, mais sûrement pas à ce degré de mensonge, d'intolérance et de violence qui a conduit au meurtre d'une jeune députée. Ces clivages entre passion et raison se sont reflétés dans les stratégies de campagne et les mots d'ordre des deux camps.

Du côté des partisans du maintien dans l'UE : l'analyse et la stratégie pouvaient se résumer par la célèbre réplique du conseiller de Bill Clinton pendant la campagne présidentielle de 1992, « *the economy, stupid* » (C'est l'économie, idiot). Postulat du primat de l'économie qui avait pu être conforté par les derniers jours de la campagne et le résultat du référendum sur l'indépendance de l'Écosse, en octobre 2014. Les incertitudes sur la possibilité de disposer d'une monnaie indépendante de la Banque d'Angleterre et les déclarations des chefs d'entreprise de l'économie réelle – notamment celle du patron de la chaîne de magasins Waitrose qui expliquait tout simplement, chiffres à l'appui, que les prix des produits dans les supermarchés seraient plus élevés en cas d'indépendance – avaient convaincu les Écossais hésitants de ne pas courir de risques. Il paraissait donc évident que personne, dans un pays réputé pour son pragmatisme comme le Royaume-Uni, *cette nation de boutiquiers*, raillée par Napoléon, ne voterait pour être plus pauvre. Il suffisait donc de reprendre les arguments économiques qui avaient si bien fonctionné contre l'indépendance écossaise. Un des ministres m'avait d'ailleurs dit à l'époque qu'ils en tireraient les leçons et commenceraient plus tôt à développer ce thème de l'appauvrissement en cas de Brexit. La machine s'est ainsi mise en route et a publié des chiffres sur les pertes économiques anticipées après le Brexit. Les plus grands experts ont été mis à contribution : les représentants de la City, du patronat (CBI, Confederation of British Industry, et IOD, Institute of Directors), ainsi que le remarquable gouverneur de la

Banque d'Angleterre, Mark Carney. Mais ces projections invérifiables et peut-être pas assez crédibles justement parfois à cause de leur trop grande précision (le chiffre de perte de 4 564 livres par famille et par an a été avancé) ont été contestées par principe, et toute cette campagne a été disqualifiée par les Brexiters comme une campagne alarmiste, visant essentiellement à faire peur (« *project fear* » et « *scaremongering* »).

À un certain moment, les Brexiters, qui ne pouvaient pas non plus argumenter en sens contraire, et conscients qu'ils ne pourraient gagner sur ce terrain, ont changé leur fusil d'épaule, passant directement à l'attaque sur l'immigration tandis que les stratèges de la campagne du « In » ont décidé de ne pas se laisser entraîner sur cette voie et donc de ne pas changer de pied. Cameron a ainsi continué de marteler ce mantra, dont j'ai gardé le rythme en tête, que le Royaume-Uni sera « *stronger, safer and better off* » (plus fort, plus en sécurité et plus prospère) en restant dans l'Union européenne, quelle que fût la question. J'ai vu des débats publics télévisés hallucinants où il répondait en entonnant ce refrain comme si de rien n'était à des personnes originaires du Nigeria ou du sous-continent indien, apparemment britanniques de fraîche date, qui s'indignaient de l'arrivée d'immigrés alors qu'il avait promis d'y mettre fin. En outre, ce message, à l'instar de toute la campagne des partisans du maintien dans l'Union européenne, était totalement désincarné. Trop général, il ne s'adressait jamais à aucun des participants en particulier, ne s'appuyant jamais sur des exemples concrets et quotidiens touchant directement ses interlocuteurs.

Aucun autre sujet n'a été véritablement traité. Alors que je m'en étais étonnée, les organisateurs m'avaient indiqué qu'il était bien prévu que la campagne serait structurée par thèmes, en commençant par l'économie, suivie par la politique internationale, en termes de sécurité et d'influence, puis le risque de l'indépendance de l'Écosse, et les conséquences pour l'accord du Vendredi saint qui avait mis fin au conflit en Irlande. Une conjonction d'arguments susceptibles de démontrer les conséquences néfastes du Brexit. Ce plan a d'abord semblé respecté. Un matin du mois de mai 2016, nous, c'est-à-dire les ambassadeurs auprès de la cour de Saint-James, avons été conviés dans un lieu emblématique, le grand hall du British Museum, « un musée du monde pour le monde », selon les mots de son très charismatique ancien directeur Neil MacGregor, pour entendre la démonstration de David Cameron, appuyé par le brillant ancien ministre des Affaires étrangères travailliste David Miliband, venu de New York pour la circonstance. Le Premier ministre soulignait dans son discours la contribution de l'Union européenne à la paix et les mérites d'une coopération étroite avec ses partenaires européens contre les défis du moment (Daesh, Russie, crise des réfugiés…) et mettait en garde contre le risque d'une décennie perdue en cas de sortie de l'Union européenne. Mais un article du *Times*, publié le matin même, a tourné en dérision cette intervention pourtant tout à fait sensée, en prétendant que David Cameron avait menacé des foudres d'une troisième guerre mondiale en cas de Brexit. Ridiculisé, au lieu de mener une campagne d'explications avec d'autres spécialistes de politique étrangère dans les jours suivants – à l'exception peut-être d'une intervention très argumentée à Chatham House de William Hague ancien ministre des Affaires étrangères passé, comme son successeur Philip Hammond, d'un euroscepticisme intuitif à une défense raisonnée de l'UE au nom des intérêts bien compris du Royaume-Uni –, David Cameron a tout bonnement décidé d'abandonner ce thème. Lorsque j'ai fait part de mes interrogations auprès d'un des membres de la campagne, il m'a été répondu qu'il était inutile de poursuivre : cela ne marchait pas car la politique étrangère n'intéressait pas les Britanniques. Point final.

Le risque d'une nouvelle revendication d'indépendance de l'Écosse alors ? Non, il a été choisi de ne pas en parler du tout, sous prétexte qu'il ne fallait pas accréditer l'idée qu'un second référendum d'indépendance était envisageable.

Quant à l'Irlande qui allait devenir la principale pomme de discorde pendant les négociations avec l'Union européenne, cela a été un non-sujet pendant la campagne.

Non-sujet, plus encore, le résultat de la négociation sur la réforme de l'Europe. Si cette réforme en quatre points identifiés et proposés par Londres n'était pas révolutionnaire, elle n'était pas négligeable non plus. La précision que la référence à une « union toujours plus étroite entre les peuples d'Europe » qui figurait dans le préambule du traité de Rome ne s'appliquait pas au Royaume-Uni constituait la garantie que les Britanniques ne seraient pas contraints à une plus grande intégration politique. De même, l'assurance qu'à côté de l'euro d'autres monnaies subsisteraient éloignait le spectre de la monnaie unique et des contraintes sur la livre. Enfin, David Cameron avait obtenu la diminution des allocations familiales versées par le gouvernement de Sa Majesté aux enfants des immigrés même quand ils étaient restés dans leurs pays d'origine. Cette « Europe réformée », à sa demande, devait être l'argument sur lequel David Cameron s'appuierait pour passer de l'euroscepticisme – son image de marque, notamment depuis le discours de Bloomberg, du 23 janvier 2013, sur les relations du Royaume-Uni avec l'Union européenne – à un plaidoyer résolu pour le maintien dans l'Europe. Ce discours, qui est resté dans les mémoires comme celui de l'annonce d'un référendum, a fondé toute la politique de Cameron sur l'Union européenne, « pendant les semaines, les mois et les années à venir » comme il s'y était alors engagé et comme j'ai pu le constater pendant les deux premières années de mon séjour à Londres. Il a, ce jour-là, joué son avenir politique et amorcé l'engrenage fatal qu'il souhaitait justement éviter et pensait évitable.

Il s'est donc lancé personnellement dans cette négociation avec les vingt-sept en vue d'obtenir un statut particulier pour son pays. Aussitôt adopté après quelques mois de négociations pas toujours faciles avec les Européens qui ont cherché à l'aider sans toutefois compromettre les fondements de l'Union, aussitôt jeté aux oubliettes. Aucune pédagogie n'a été tentée, aucun sentiment non plus dans la défense du maintien dans l'Union : celui-ci était juste présenté comme un moindre mal et la sortie comme un saut dans l'inconnu, « *uncharted waters* ». Le slogan, sans doute le plus pertinent mais jamais vraiment explicité de David Cameron, était que le Royaume-Uni bénéficiait du « meilleur des deux mondes » avec tous les bénéfices de l'appartenance au club, la première puissance commerciale du monde, mais assortie d'une limitation des obligations obtenue au fil des années et des Premiers ministres, avec des exemptions essentielles sur la monnaie unique et le système de Schengen.

Et donc, reprise en boucle jusqu'au dernier jour du refrain « *stronger, safer and better off* »…

En outre, le gouvernement s'était lié doublement les mains. D'abord, en appliquant strictement la règle du *purdah* exigée par les Brexiters, période de campagne électorale pendant laquelle les officiels sont réduits au silence. Ce mot persan et ourdou, tout droit venu de l'empire des Indes et dont la traduction est « rideau » ou « voile », a donné son nom au système visant à séparer les hommes et les femmes, condamnées à la dissimulation sous la burqa ou le voile intégral dans la rue ou à la réclusion chez elles. Ce système, pratiqué en Inde par la caste des brahmanes et les minorités musulmanes, qui excluaient les femmes de la vie sociale et économique, par extension à la vie politique britannique, signifiait l'interdiction pour le gouvernement d'utiliser les moyens de l'État et cela pendant quatre semaines alors que rien n'obligeait juridiquement à adopter une telle disposition s'agissant d'un référendum et non pas d'une élection générale. En d'autres termes, les fonctionnaires ont été interdits d'activité pouvant soutenir la campagne. Beaucoup se sont d'ailleurs plaints de vivre un quasi-chômage technique. Par ailleurs, David Cameron avait accepté de laisser aux membres de son cabinet[1] toute liberté de position et donc d'opposition, ce qui a créé une atmosphère détestable et une véritable cacophonie.

Mais surtout David Cameron, dont l'objectif principal était l'unité du parti Tory, a évité de rendre coup pour coup, devant la violence des accusations et des critiques, en attendant la phase de réconciliation qu'il entendait mener lui-même après le référendum.

Face à cette campagne en demi-teinte, ces mots d'ordre désincarnés axés sur le seul intérêt économique et ces handicaps que David Cameron s'était imposés, il a été facile aux leaders du Brexit, à Dominic Cummings génial et atypique stratège de la campagne du Leave en particulier, de se concentrer sur un thème et un mot d'ordre qui emportent l'adhésion d'un peuple frustré : « Reprendre le contrôle » (*Take back control*), qui résonne chez tout individu. Le contrôle de quoi, comment ? Peu importe. Chacun a compris ce qui l'intéressait. Contrôle de leur vie perdue face aux immigrés accusés de leur prendre leur travail, leur place dans les hôpitaux ou celle de leurs enfants dans les écoles, et rejet de la mondialisation incomprise jugée responsable de

---

1. Seuls les secrétaires d'État, c'est-à-dire les ministres les plus importants, sont membres du cabinet et participent à toutes les réunions autour du Premier ministre. Les titres sont inversés par rapport à la France : un *secretary* est ministre de plein exercice alors qu'un *minister* est un ministre délégué ou un secrétaire d'État. Pour éviter la confusion, j'ai utilisé les titres selon le système français.

cette dépossession et de ce sentiment de déclassement ; contrôle de leur ville où trop de magasins et de pancartes s'affichent dans des langues étrangères, comme la très anglaise ville de Rugby où le seuil de tolérance a été dépassé avec plus de 60 % de Polonais ; contrôle de leur pays prétendument aux ordres de *fonctionnaires européens non élus*. Rêve de refaire le chemin à l'envers pour retrouver le pays de leur jeunesse ou de celle de leurs parents. Le monde d'hier en somme. Comme le chantaient les Beatles : « *I believe in Yesterday…* »

L'Empire triomphant, l'histoire mythique racontée aux enfants dans *L'Histoire de notre île* ou encore l'héroïsme ordinaire des Anglais de l'armée de papa, *Dad's Army*, série sur la Home Guard – formation paramilitaire instituée au début de la Seconde Guerre mondiale pour lutter contre un éventuel débarquement allemand –, diffusée pendant près de dix ans, de 1969 à 1977 par la BBC, quand ce n'était pas l'univers de cette remarquable série *Downton Abbaye*, qui a fasciné le monde entier y compris les Chinois. Certains amis agacés ont parlé d'« effet Downton Abbaye » chez les Anglais qui ont voté pour le Brexit, animés par la nostalgie et le ressentiment.

Cette idée de paradis perdu a été parfaitement illustrée dans un sondage de 2017 qui portait sur les attentes principales des Brexiters : en premier lieu le rétablissement de la peine de mort, puis celui des châtiments corporels, et retour du passeport bleu sans la mention honnie d'« Union européenne » sur le passeport bordeaux. Sur ce point, Theresa May a eu à cœur de leur donner gain de cause en 2019 avant même la date de sortie présumée. Les Brexiters l'ont accueilli comme une grande victoire alors que rien ne les empêchait comme la Croatie d'avoir un passeport de couleur bleue en étant membre de l'Union européenne si les autorités britanniques en avaient décidé ainsi. En outre, il y a eu des commentaires ironiques sur le fait que ces nouveaux passeports purement British étaient fabriqués par la société française Gemalto sur son site polonais de Tczew… Ce sondage indiquait enfin que les Brexiters souhaitaient l'abandon du système métrique et le retour aux poids et mesures impériaux. Beau projet d'avenir pour le XXIe siècle !

Plus tard, quand ce passeport a été édité, certains ont demandé s'il était préférable de détenir un passeport britannique bleu qui imposerait l'obtention de visas dans plusieurs pays et des attentes interminables aux frontières, ou un passeport européen bordeaux permettant l'entrée exemptée de visas dans un très grand nombre de pays

À cette nostalgie du passé s'est ajouté un sentiment plus contemporain, la haine des élites, sans doute latent depuis plusieurs années et qui a immergé au grand jour et avec fracas dans d'autres pays, notamment aux États-Unis, mais aussi en Italie et en France. Cela s'accompagnait au Royaume-Uni de la détestation de Londres – quintessence de la ville multiculturelle et bénéficiaire de la *mondialisation heureuse* –, la haine de l'establishment, incarné par les hommes politiques et les banquiers de la City qui font pourtant vivre des millions de personnes dans ce pays mais auxquels est attribuée la responsabilité de la crise financière de 2008 et ses conséquences douloureuses et durables en matière de politique d'austérité et de chômage.

Bien conscients de cette perte de confiance et de cette hostilité à leur encontre, les hommes de la City sont restés discrets dans la campagne pour laisser monter au créneau les chefs d'entreprise. Ce rejet de l'expertise, de la compétence, qui touchait le personnel politique comme les responsables économiques, s'est illustré dans le choix des messagers se présentant comme anti-système alors qu'ils sont tous sortis des mêmes écoles et que, strictement parlant, ils appartiennent à ces mêmes élites ; des populistes prétendant parler le langage du peuple, dans un registre drôle, bouffon même pour Nigel Farage ou Boris Johnson, plus compassé pour Jeremy Corbyn. Cela a été aussi le triomphe des tabloïds, *Daily Mail* en tête.

Une fois le message choisi, il a fallu identifier les destinataires en tenant compte de la conjonction de deux catégories de préoccupations, deux thèmes porteurs qui pouvaient être complémentaires mais pas nécessairement. D'un côté, le problème identitaire et l'indépendance du pays ; de l'autre, la peur et le rejet de l'immigration, ce qui supposait deux types de destinataires différents. Le premier thème porté depuis longtemps par les quelques europhobes du parti Tory qui sont la raison première, sinon unique, de ce référendum. Ceux-là abhorraient l'Union européenne qui portait atteinte à la sacro-sainte souveraineté du Parlement de Westminster. Le jour de la sortie de l'Union européenne était promis comme le jour de l'indépendance,

« *independance day* » en référence à la proclamation d'indépendance des États-Unis.

En revanche, il est amusant de constater que ces Brexiters idéologiques étaient assez indifférents à la thématique de l'immigration. L'un de ces députés europhobes les plus virulents est allé jusqu'à me dire qu'il était heureux qu'il y ait des travailleurs polonais plus sérieux et compétents que les Anglais pour faire des travaux dans leurs belles demeures, et d'accortes serveuses lituaniennes dans les restaurants plutôt que de vieux Anglais grincheux. Ce thème de l'indépendance et de l'identité était particulièrement porteur auprès des populations relativement aisées du Sud-Est de l'Angleterre. Cela a convaincu aussi les fermiers qui recevaient pourtant de nombreuses subventions au titre de la politique agricole commune, recouraient à la main-d'œuvre saisonnière en provenance de l'UE et exportaient 80 % de leur production vers l'Union européenne. Ils furent d'ailleurs parmi les premiers à constater l'effet pervers de leur vote et déplorer le risque de voir leurs récoltes pourrir sur pied et finalement d'être ruinés. Que dire du pays de Galles et des Cornouailles qui ont suivi la même ligne d'hostilité à Bruxelles alors que ce sont les régions qui ont reçu le plus de subventions européennes, et qui se sont d'ailleurs étonnées au lendemain du vote qu'il y soit mis fin…

C'est pourtant le thème de l'immigration qui a été au cœur de la campagne. Et, au total, on peut considérer que ce référendum a été un référendum sur l'immigration plus que sur l'Union européenne. Chacun sait que l'on répond rarement à la question posée par un scrutin de ce type. Je rappelais souvent à mes interlocuteurs que la France en avait fait l'expérience en 2005 avec le rejet par le peuple français du projet de Constitution européenne rédigé sous la présidence de Valéry Giscard d'Estaing alors qu'au moment du lancement du référendum ce projet recueillait un large accord.

La cible a été plus large et visait les populations défavorisées, les *left behind* (laissés-pour-compte) des régions industrielles ou désindustrialisées du Nord-Est, où d'ailleurs les Tories n'avaient pas ou peu d'électeurs et au fond pas non plus de capteurs, la responsabilité de la campagne en faveur du « In » ayant été laissée aux travaillistes. Les grandes villes du Nord, Manchester, Liverpool, dirigées par des maires travaillistes engagés, que j'avais rencontrés, ont plutôt voté en faveur du maintien dans l'Union européenne. Nigel Farage, fondateur du parti nationaliste UKIP avait réussi à convaincre les populations frustrées de la périphérie des métropoles que l'Union européenne, qui avait fait de la liberté de circulation une obligation impérative, était responsable de cet afflux de réfugiés. Qu'importe qu'il n'y ait eu aucun réfugié dans certaines régions. J'ai entendu, lors d'un reportage de la BBC, un habitant de ces régions du Nord, qui indiquait son intention de voter Brexit en raison de l'afflux de migrants, répondre au journaliste, qui lui demandait s'il avait déjà vu des immigrés, qu'il n'en avait jamais vu mais qu'il savait qu'ils étaient partout...

Qu'importe aussi qu'il y ait eu autant d'immigrés en provenance de pays tiers sur lesquels le Royaume-Uni avait le contrôle total, que de ressortissants européens qualifiés d'ailleurs de manière significative de « migrants », contrairement aux pays continentaux où ils sont appelés « citoyens européens ». Qu'importe également que le Royaume-Uni ait eu, à l'instar de tous les membres de l'Union européenne, la faculté de renvoyer ceux qui n'avaient pas trouvé de travail après trois mois. Faculté mise en œuvre par d'autres pays européens mais que le Royaume-Uni n'a jamais utilisée, pour deux raisons. La première était que les cartes d'identité font l'objet d'un rejet obstiné au nom de la protection des libertés civiles, pour des raisons historiques dépassées à l'ère du terrorisme – Churchill avait supprimé après la guerre ces documents qu'il n'estimait pas nécessaires en temps de paix –, ce qui est paradoxal aujourd'hui alors que le nombre des caméras de surveillance et de bases de données ADN est certainement supérieur à celui des autres membres de l'UE. Les immigrés illégaux étaient donc difficilement contrôlables même si une tentative tardive a été faite en direction des entreprises, des propriétaires et des banques afin de dissuader ceux-ci de leur accorder des contrats, des logements ou des comptes en banque. La raison principale est cependant que l'économie était dynamique, qu'il y avait le plein-emploi et que, notamment, les entreprises du bâtiment, en plein boom, avaient besoin de ces travailleurs durs à la tâche. Le système de santé, le NHS, faute de formation adéquate au Royaume-Uni, avait aussi recours à ces médecins et infirmières étrangers. Même Boris Johnson constatait qu'aucun Anglais ne répondait plus à une offre d'emploi de conducteur d'autobus à Londres. Il est vrai que l'année 2015 a vu un record de l'immigration nette : 330 000 personnes. Au total, plus de 8 millions de résidents nés à l'étranger soit 13 % de la population. La rapidité de cette mutation démographique était inédite au Royaume-Uni.

C'est l'année où la pression venue de Calais a été la plus forte et la plus médiatisée avec l'attaque des camions à l'entrée du tunnel. L'époque où les migrants allaient recharger leurs portables dans le centre Jules-Ferry mis en place au sein du camp de la Lande, surnommée la Jungle, pour aider les plus vulnérables, afin de consulter les offres d'emploi à Londres, terre où les passeurs leur assuraient qu'ils seraient les bienvenus. Les arrivées dans les ports de Lampedusa en Italie et de Lesbos en Grèce avaient explosé et faisaient l'objet de reportages quasi quotidiens.

La nouvelle, en septembre 2015, de l'accueil de près d'un million de réfugiés bloqués à la frontière hongroise par Angela Merkel, assortie d'une infox sur l'arrivée inévitable de ces personnes dans le paradis britannique, a été abondamment exploitée par la presse tabloïde. Elle a donné prétexte quelques mois plus tard, moins d'une semaine avant le référendum, à l'ignoble photomontage de Nigel Farage devant une colonne de réfugiés qui traversaient la frontière croate pour se rendre dans un camp de réfugiés en Slovénie, intitulé *Breaking Point* (point de rupture) et ayant pour légende : « L'Europe nous a tous fait échouer. Libérons-nous de l'Europe et reprenons le contrôle de nos frontières. » Une plainte a aussitôt été déposée pour incitation à la haine raciale par Dave Prentis, le président d'Unison, l'un des plus grands syndicats professionnels du Royaume-Uni, qui a jugé que les militants du non étaient tombés dans le caniveau. D'autres ont estimé que cette affiche était similaire à la propagande nazie. Elle a choqué l'ensemble de la classe politique et même embarrassé Boris Johnson qui dirigeait la campagne officielle « *Vote Leave* ». Il a alors jugé bon de se distancier de la campagne ouvertement raciste menée par UKIP en affirmant que ce n'était « ni sa campagne ni sa politique » et en se proclamant « passionnément pro-immigration et pro-migrants ». Le mal était fait et toute cette campagne anti-migrants en réalité arrangeait bien les affaires de tous les leaders du « Out » qui pouvaient ainsi éviter de se salir les mains eux-mêmes tout en engrangeant les bénéfices.

Un jour, a surgi également le thème de la Turquie dont l'adhésion était présentée comme imminente, laissant entendre que cela allait provoquer le débarquement au Royaume-Uni de quelque 70 millions de Turcs. Penny Mordaunt, alors secrétaire d'État aux forces armées, n'a pas hésité à affirmer à la BBC que Londres n'aurait pas le choix car il ne serait pas en mesure d'y opposer un veto. Mensonge flagrant dès lors que l'adhésion d'un nouveau membre doit être approuvée à l'unanimité par le Conseil de l'Union européenne puis ratifiée par tous les Parlements nationaux. C'était passer sous silence aussi que, avant d'adhérer, Ankara devait satisfaire à tous les critères de reprise de l'acquis communautaire, chapitre par chapitre, et que la négociation ouverte en 2005 après une demande formulée par la Turquie dès 1987 avait permis l'ouverture de seulement seize chapitres et la clôture d'un seul sur trente-cinq, ce qui avait même fait dire à David Cameron que, à ce rythme-là, la Turquie n'adhérerait pas avant l'an 3000.

Il était clair déjà que l'évolution nationaliste et islamiste du président Erdogan avait modifié les esprits dans la majeure partie de l'Europe. Les réticences de Paris et sa capacité à s'y opposer étaient également connues. Mais comme la position traditionnelle de Londres, sur injonction des États-Unis, était de faire entrer la Turquie, membre de l'Alliance atlantique, dans l'Union européenne, aucun responsable n'a souhaité prendre une position définitive. David Cameron a maintenu une ambiguïté en indiquant simplement que ce n'était pas d'actualité sans dire clairement que cela ne se ferait pas. Boris Johnson a pour sa part rappelé que l'entrée de la Turquie dans l'UE correspondait à la position traditionnelle britannique, sans en préciser la date car cela contribuait à entretenir la peur des Britanniques. Michael Gove, ministre de la Justice, en a rajouté en affirmant que près de cinq millions d'Européens auraient bientôt le droit de vivre et de travailler au Royaume-Uni avec l'adhésion prochaine, outre la Turquie, de l'Albanie, la Macédoine, le Monténégro et la Serbie. Le premier mensonge a toujours plus de poids que tous les correctifs apportés ensuite par d'autres plus soucieux de véracité.

L'absurdité du lien établi avec l'UE reposait sur le fait que c'était le plus souvent les populations de couleur qui étaient dans la ligne de mire. Je l'ai entendu plusieurs fois et le journaliste James O'Brian n'a cessé de l'entendre aussi dans ses conversations avec ses auditeurs sur la chaîne de radio LBC (Leading Britain's Conversation). Priti Pattel, députée d'origine indienne, a convaincu une grande partie des populations originaires du sous-continent indien de voter contre leurs intérêts en prétendant qu'elles pourraient ainsi faire venir, à la place des Polonais honnis, un plus grand nombre de « *curry chefs* » (cuisiniers indiens) et de membres de leurs familles. Dès le lendemain d'ailleurs, certains membres de cette communauté qui ont fait les frais de la xénophobie ambiante ont regretté leur vote et estimé qu'ils avaient été trompés.

Ce contexte de haine entretenue contre l'UE, contre les migrants, a abouti au meurtre tragique le 16 juin 2016, soit moins d'une semaine avant le référendum, d'une jeune députée socialiste, Jo Cox, qui se rendait à une permanence dans le village de Birstal, dans sa circonscription du Yorkshire. Elle a été assassinée avec rage d'une balle dans la tête et de plusieurs coups de couteau au nom de « *Britain first* », (Le Royaume-Uni d'abord) et « *Keep Britain independent* » (Préservons l'indépendance du Royaume-Uni). On a vite affirmé qu'il s'agissait d'un déséquilibré. Sans doute, mais c'était surtout un fanatique d'extrême droite, et une atmosphère aussi viciée – qui rappelle les vers de Shakespeare dans *La Tempête* : « Le ciel est vide, tous les démons sont ici » – peut susciter de tels passages à l'acte. Cela n'a pas empêché Nigel Farage de prétendre plus tard que le Brexit s'était fait sans mort. Le choc dans le pays a été fort. Cela a été perçu comme une atteinte à la démocratie britannique. La campagne a été interrompue quelques jours, sauf par UKIP. L'horreur du crime avait laissé penser que les tensions allaient retomber et que chacun reviendrait à la raison. Cela n'a pas suffi. C'était à couteaux tirés désormais. La raison, le pragmatisme et le flegme s'étaient totalement évaporés.

La bonne maîtrise des outils Internet mais surtout la captation frauduleuse des données personnelles d'utilisateurs de Facebook par la société Cambridge Analytica a permis d'identifier dans l'ombre ceux dont le vote pouvait être orienté en faveur du Brexit. Cette société qui comptait Steve Bannon, militant d'extrême droite américain, dans ses actionnaires a d'ailleurs joué un rôle similaire dans l'élection de Donald Trump. Le scandale a éclaté en mai 2018 et Cambridge Analytica a fait faillite, même si une autre société du nom d'Emerdata a récupéré ses données. De fait, le camp du Leave a pu identifier une population à l'écart de toute vie politique. Des invisibles, abstentionnistes que tous les partis considéraient comme des cas désespérés dont il était inutile d'aller frapper à la porte selon les pratiques de campagne au Royaume-Uni. Des populations que personne, à l'exception d'Arron Banks le financier d'Ukip, n'avait même songé à sonder. Je me souviens qu'il se disait à la veille du scrutin que si beaucoup de gens votaient ce serait positif car cela signifierait que les jeunes, spontanément favorables au maintien dans l'UE, votaient, mais que, s'il y avait trop de votants, ce serait mauvais car cela signifierait que ceux qui ne votaient jamais étaient allés déposer un bulletin en faveur du Brexit. Cette seconde option s'est imposée. Une scène très frappante du téléfilm de la BBC sur les coulisses du vote montre Benedict Cumberbatch, l'acteur culte d'un Sherlock Holmes décalé, jouer à la perfection le rôle de Dominic Cummings se rendant dans une caravane pour entendre et convaincre ces gens abandonnés de tous. Ces derniers n'avaient plus rien à perdre et étaient d'autant plus sensibles aux sirènes du Brexit qu'ils avaient le sentiment de n'être jamais écoutés.

Cette campagne s'est caractérisée par les désinformations, inventions, manipulations et mensonges délibérés, y compris les plus extravagants comme l'intention prêtée à l'UE d'exiger la fin de la monarchie britannique. « Ils vont supprimer la reine », répétait-on dans des réunions organisées par le parti du Leave dans des entreprises. Quand on connaît l'attachement de la très grande majorité des Britanniques à leur souveraine, nul doute que cela a fait mouche. Les brochures éditées par le parti UKIP n'hésitaient pas à affirmer que le maintien dans l'UE se traduirait par la « fin de la reine et de la famille royale ».

Et bien sûr nul n'oubliera cette iconographie emblématique du Brexit : l'autocar rouge sillonnant le pays, avec Boris Johnson à son bord proclamant que les 350 millions de dollars hebdomadaires confisqués par l'Union européenne pourraient être désormais consacrés aux services de santé. Ce fameux NHS, le National Health Service, qui offre à tous des soins entièrement gratuits, véritable vache sacrée dans ce pays du libéralisme triomphant. Un système léniniste, me disait un jour un de ses critiques libéraux qui ne seraient pas fâchés d'une privatisation. J'avais, peu de temps après ma prise de fonction, été invitée par la London School of Economics à une table ronde sur le TTIP, le traité de libre-échange avec les États-Unis. Quel ne fut pas mon étonnement de constater que certains Britanniques étaient plus réticents encore que les Français à la signature de cet accord qu'ils jugeaient menaçant pour leur NHS.

Tout à la recherche des arguments pour attiser la colère, la peur et les rancœurs, aucun des dirigeants politiques en faveur de la sortie de l'UE n'a formulé de projet pour le Brexit. La plupart de ceux qui furent invités sur des plateaux de télévision ne cessaient d'affirmer que le Brexit ne signifiait pas quitter le marché unique ou l'union douanière, peu sachant d'ailleurs de quoi ils parlaient. Churchill ironisait sur les orateurs qui quand ils se lèvent ne savent pas ce qu'ils vont dire, quand ils parlent ne savent pas de quoi ils parlent et, quand ils sont rassis, ne savent pas ce qu'ils ont dit… Quant à Boris Johnson, jovial, il n'a cessé d'affirmer que le Brexit offrirait des opportunités fantastiques. Lesquelles ? Il ne l'a jamais dit et, au fond, personne ne le lui a demandé. Ce n'était pas le sujet.

Ainsi, contre toute attente, le 23 juin 2016, les passions – tristes – l'ont emporté sur la raison : 51,9 % en faveur de la sortie contre 48,1 % pour le maintien.

Un membre du Parlement, fin analyste de la vie politique britannique, m'avait assuré que la campagne serait *dirty and bumpy* mais qu'à la fin les Britanniques resteraient dans l'UE, pragmatisme britannique oblige. « Sale et cahoteuse », cette campagne l'a certainement été, mais, à la fin, ils sont partis.

Chapitre 5

« Whodunit » ? Les coupables

Le lendemain de ce jour mémorable du référendum, la première question a été* : que s'est-il passé ? Puis : qu'est ce qui n'a pas marché ? Ensuite : pourquoi ? Et enfin : quels sont les coupables. *Whodunit ?* Ce genre de roman policier typiquement anglais. Nombre de séminaires et de tables rondes se sont tenus dans la foulée. De nombreux articles ou livres ont été publiés sur le sujet, dont le plus explicite sur les coupables à désigner a été *Guilty Men* sous le pseudonyme de Caton le Jeune, en 2017, chez Brexit Edition.

Comme pour *Le Crime de l'Orient Express* d'Agatha Christie il y a eu plusieurs « coupables », complices objectifs ou non. Il y a eu des responsables, des concepteurs, des porte-parole, des amplificateurs. Certains ont joué un rôle plus déterminant que d'autres, mais chacun a donné un coup de couteau. L'on peut dire, compte tenu de la marge étroite de la victoire, que sans chacun d'entre eux il n'y aurait pas eu de Brexit.

Le premier responsable est incontestablement David Cameron. Son nom restera dans l'histoire comme celui du « Premier ministre qui aura fait sortir le Royaume-Uni de l'Union européenne par accident », comme l'a dit John Bercow le désormais célèbre speaker de la Chambre des communes, à une délégation parlementaire française quelques semaines après le référendum. Alors que ses amis, George Osborne, le pro-Union européenne, et Michel Gove, l'eurosceptique, euphémisme pour europhobe, l'avaient mis en garde contre les risques d'un tel scrutin, David Cameron imaginait, avec la promesse d'un référendum sur l'Union européenne, faire d'une pierre deux coups : marginaliser le parti nationaliste UKIP et surtout réconcilier le parti des Tories empoisonné depuis des décennies par l'europhobie d'une poignée de députés. Or, tout entier tendu vers ce but, il n'a pas fait campagne contre les Brexiters du parti et a, en particulier, constamment ménagé Boris Johnson. Je me souviens de la réception de départ de Boris Johnson de la mairie de Londres dans le très beau London Transport Museum de Covent Garden. Au milieu de plusieurs générations des emblématiques bus rouges londoniens, à la grande surprise de tous, alors qu'il nourrissait bien des raisons de lui en vouloir, David Cameron est arrivé comme invité d'honneur pour faire le panégyrique de celui qui l'avait trahi en choisissant le parti du Leave et qui était désormais son principal adversaire. Il m'était apparu clairement ce jour-là que David Cameron jouait « le second tour », l'après-référendum où Boris rentrerait dans le rang.

148

David Cameron est-il, comme on l'a tant répété, un *gambler*, un joueur, qui, pour rendre le jeu plus excitant, a remplacé, comme me l'a dit avec humour mon collègue belge, la roulette russe par la « roulette belge » où l'on perd à tous les coups en mettant des cartouches dans chacune des chambres du barillet ? Un homme trop sûr de lui, de sa chance, un gagnant ? C'est ainsi qu'il se présentait en tout cas devant ses homologues européens. De fait, sous son autorité, le Parti conservateur avait repris le pouvoir en 2010 après trois mandats de Tony Blair et treize ans de règne sans partage du New Labour. La coalition avec les LibDem était plutôt une réussite. Il avait remporté le référendum sur l'Écosse en dépit des conditions imprudentes qu'il avait concédées à Édimbourg.

Il avait surtout, contre toute attente, gagné la majorité absolue aux élections générales de mai 2015, à peine plus d'un an auparavant. Des élections dont tous les commentateurs prédisaient qu'elles aboutiraient à un Parlement sans majorité (*hung parliament*) et donc à une nouvelle coalition. Le soir des élections, les plus grands experts « constitutionnels » de ce pays sans Constitution – écrite – que j'avais rencontrés fourbissaient en effet avec délectation leurs arguments pour expliquer dans les soirées électorales télévisées les différentes options possibles, la plus probable étant le renouvellement de la coalition avec les LibDem, dont l'effondrement retentissant n'avait pas été anticipé. En effet, la réélection de Nick Clegg, leader séduisant et très européen, ancien diplômé du Collège européen de Bruges, bien que favorisée par Cameron, a échoué.

Le dirigeant des LibDem a payé le prix du reniement de sa promesse de ne pas augmenter les frais d'inscription dans les universités. L'on a même vu à la télévision l'ancien dirigeant du parti, Paddy Ashdown, incrédule face à ce résultat de sortie des urnes qui les ramenait de cinquante-sept à huit sièges, promettre de manger son chapeau si les résultats n'étaient pas corrigés à la hausse pendant la nuit. Promesse tenue quelques jours plus tard à la télévision avec un chapeau en chocolat. Humour britannique oblige. Cette élection générale, la première depuis mon arrivée à Londres, a confirmé l'assertion d'André Maurois dans son livre *Les Anglais* publié en 1927, selon laquelle « le résultat des élections en Angleterre est aussi imprévisible que les orages ».

Ce triomphe inattendu – j'avais félicité le lendemain un des plus proches collaborateurs de David Cameron qui m'avait répondu « A*mazing, isn't it ?!* » (Surprenant, n'est-ce pas ?) – s'est toutefois révélé être une victoire à la Pyrrhus car David Cameron a été désavoué quelques mois plus tard lors du référendum. Avec une nouvelle coalition, les LibDem, résolument européens, se seraient probablement opposés à la tenue de ce référendum ou du moins en auraient défini les conditions de manière à se donner des chances de le gagner : vote des citoyens européens au Royaume-Uni, des résidents britanniques dans les pays de l'Union européenne, des jeunes dès l'âge de seize ans comme pour le référendum écossais. Toutes ces personnes sans voix alors que le Brexit aura un effet direct sur leur vie quotidienne et leur avenir. David Cameron était convaincu de l'emporter en présentant à ses compatriotes une « Europe réformée » grâce aux concessions de Bruxelles sur certains points importants pour le Royaume-Uni : une garantie pour la livre et les monnaies des pays non membres de l'eurozone de ne pas être pénalisées par des décisions de la zone euro, le caractère non contraignant pour le Royaume-Uni de la formule du préambule sur la recherche d'une union sans cesse plus étroite entre les citoyens, une limitation des prestations sociales pour les nouveaux immigrants, un rôle renforcé des parlements nationaux. Même si ces demandes étaient en deçà de celles qui figuraient dans le *Manifesto*, le programme de gouvernement de son parti, il pensait que l'accord conclu sur ces points avec l'UE était suffisant.

À partir de là, il avait promis de s'engager *corps et âme* en faveur du référendum. Il en a assuré François Hollande lors du sommet franco-britannique d'Amiens en mars 2016, ainsi que ses autres homologues européens. Il a tenu parole mais il est difficile de passer du rôle de contempteur de l'Union européenne et de héraut des eurosceptiques pendant dix ans à celui de chantre de l'Union européenne le temps d'une saison référendaire. Il s'est souvent créé des causes à combattre : l'armée européenne dont personne ne parlait jusque-là et qui n'est pas près de voir le jour, ou la protection de la City qui ne le lui avait pas demandé, en tout cas selon les dires de certains de ses représentants.

De Conseil européen en Conseil européen, David Cameron revenait triomphalement à Londres en se glorifiant d'avoir guerroyé vaillamment contre l'UE. Comment ne pas donner à entendre à l'opinion

britannique que c'était un adversaire et non un partenaire et allié ? Dans son autobiographie[1], il reconnaît
qu'il aurait fallu parler plus positivement de l'Union
européenne et de ses avantages pour le Royaume-Uni.
Mais à qui la faute ? Peut-être que s'il est trop tard pour
son pays cela constituera une leçon utile pour les autres
dirigeants européens. Compte tenu de la prééminence
du débat sur l'immigration, Cameron aurait-il dû ou
pu faire au moins un baroud d'honneur en mettant
en garde ses homologues européens contre le risque
de perdre le référendum s'il n'obtenait pas davantage
sur la possibilité de bloquer l'immigration ? J'ai souvent posé la question mais la ligne à Whitehall était que
cela n'aurait servi à rien d'essayer car Angela Merkel
avait dit très clairement que c'était inacceptable. David
Cameron avait assuré au sommet d'Amiens que le référendum serait gagné car, « *on balance* » (tout compte
fait), les avantages du maintien dans l'Union étaient
supérieurs à ceux du retrait. C'était compter sur le côté
rationnel et non émotionnel des électeurs.

Aurait-il pu mener une meilleure campagne ? Sans
doute, si sa perception du pays avait été plus juste. Il
était resté un peu le Tory de Notting Hill, moderne,
décontracté, à la limite parfois de la désinvolture, peu
aimé en réalité d'une frange très conservatrice du parti
Tory réfractaire à la modernisation du parti et notamment à l'adoption du mariage gay, que Cameron présentait toujours avec fierté comme une de ses réussites.
Le double libéralisme économique et social comme il

---

1. David Cameron, *For the Record*, Harper Collins UK, 2019.

l'avait brillamment mis en avant lors de son discours à la conférence du parti à Manchester, du temps de sa gloire, en octobre 2015. Son meilleur discours, m'a-t-on dit. Il régnait à ce moment-là une atmosphère d'optimisme. Les conservateurs se gaussaient ouvertement de l'élection récente d'un gauchiste attardé à la tête du Parti travailliste, Jeremy Corbyn, et étaient convaincus d'être au pouvoir pour dix ans. C'était une autre « victoire » à la Pyrrhus car il aurait mieux valu un dirigeant crédible et responsable du parti de l'« opposition de Sa Majesté » qui conduise une campagne pro-Remain à ses côtés.

Le plus grand reproche qui a été fait à David Cameron est d'avoir mis les intérêts du parti Tory au-dessus de ceux de son pays. Pour réconcilier les quelque quarante europhobes historiques et fanatiques de son camp, il a amplifié un schisme irréparable en son sein, renforcé le clan des europhobes et provoqué une quasi-guerre civile dans le pays. Il est vrai que les Britanniques ont un attachement très fort à leurs deux partis historiques, qui n'ont, au demeurant, pas changé de nom au fil des années, contrairement au parti de la droite française qui a connu plusieurs incarnations. Le parti Tory, né en 1834, est l'héritier des Tories des XVIIe et XVIIIe siècles.

David Cameron a annoncé sa démission le 24 juin 2016 car il ne pouvait être « *le capitaine conduisant le navire dans une direction opposée* ». On lui a fait grief d'avoir quitté la scène, le jour de sa démission effective, en se retournant pour rentrer une dernière fois par la porte de Number 10 en chantonnant, *tou tou dou dou,* et en oubliant bien sûr qu'il portait encore un micro-cravate branché. Des journalistes ont assuré qu'il avait fredonné les premières notes du générique de la série américaine sur les coulisses du pouvoir à la Maison-Blanche, *West Wing*... Il a révélé dans son auto-biographie[1] avoir fredonné pour se calmer car il craignait que la porte du numéro 10 ne s'ouvre pas.

Soulagement, indifférence, inconscience, désinvolture? Je ne pense pas. Au mémorial de Thiepval, le 1er juillet 2016, huit jours après le séisme politique, lors de la commémoration du centenaire de la bataille de la Somme, il y a eu un moment où, comme tous les hommes de pouvoir devenus des perdants ou des canards boiteux, il marchait seul. Cela m'a rappelé comment, des années auparavant, un de nos ministres, toujours fasciné de rencontrer le tout-puissant ministre des Affaires étrangères de la superpuissance soviétique sous Mikhaïl Gorbatchev, avait laissé en plan le même Édouard Chevardnadzé, devenu président de la petite Géorgie, lors d'une Assemblée générale des Nations unies. Prétextant une urgence au bout de dix minutes d'entretien, ne dissimulant pas son ennui, il était parti s'asseoir ostensiblement, et sûrement sans même réfléchir, à l'autre bout du salon des délégués de l'ONU avec ses collaborateurs. *Sic transit gloria mundi...*

Je me suis approchée de David Cameron pour lui dire que j'étais désolée de ce qui s'était passé. Il m'a répondu qu'il n'était pas inquiet pour lui mais pour son pays. Dans son dernier contact avec le président Hollande ce jour-là, il a exprimé le souhait d'une

---

1. David Cameron, *For the Record, op. cit.*

relation entre le Royaume-Uni et l'Union européenne la plus proche possible de l'actuelle. Un Brexit doux. Mais sa parole ne comptait plus. Il est resté en retrait depuis, rédigeant dans une cabane installée au fond de son jardin ses Mémoires[1], publiés dans une relative indifférence en octobre 2019. Il a abandonné aussi son siège de député et aurait « oublié » de demander le renouvellement de son badge d'accès à Westminster. L'histoire ne lui fera sûrement pas de cadeaux. Pour les Remainers en colère, il est jugé encore plus mauvais Premier ministre que Chamberlain, qui est l'étalon dans ce domaine.

David Cameron a été le facteur déclencheur, Nigel Farage, chef du parti ultranationaliste UKIP, histrion peu recommandable d'un Brexit clairement anti-migrants, a joué un rôle important même s'il n'est sans doute pas allé très au-delà de ses électeurs traditionnels. Plus de trois millions quand même.

Farage se préparait depuis des années, même si son parti, en raison du mode de scrutin majoritaire, ne remportait pas de sièges, lui non plus d'ailleurs qui a échoué sept fois à entrer à Westminster. Il se repliait sur le Parlement européen, dont le scrutin est proportionnel, pour y mener campagne et proférer des insultes à l'encontre des institutions et des dirigeants européens. Mais il a eu le coup de génie de faire le lien entre l'Union européenne qui agaçait un peu les Britanniques sans les concerner réellement et l'immigration massive qui était au premier rang de leurs

---

1. David Cameron, *For the Record, op. cit.*

préoccupations. Sa gouaille plaisait comme ses pintes de bière brandies en public. Ses slogans étaient percutants. Son affiche de campagne, *Breaking Point*, d'une foule de migrants originaires du Moyen-Orient prêts à envahir le pays a frappé les esprits, à l'instar du discours en avril 1968 d'Enoch Powell – écrivain et membre du Parti conservateur hostile à l'immigration et avec qui la filiation est évidente – sur « les rivières de sang », qui mettait en garde contre les conséquences dangereuses de l'arrivée des populations en provenance du Commonwealth non blanc. Il s'agissait à l'époque en majorité des Jamaïcains. Ce discours avait alors suscité une vaste adhésion populaire mais également une indignation et des réactions antiracistes. À cette époque, un racisme affiché aussi ouvertement mettait fin à une carrière politique. Ce fut le cas pour Enoch Powell. Aujourd'hui, au-delà de l'indignation suscitée sur le moment, c'est plutôt porteur. Cela a constitué le thème dominant de la campagne sur la petite musique de : *Ceux qui nous prennent notre travail, nos places dans les hôpitaux et celles de nos enfants dans les écoles.* Malgré la vision irénique d'une Grande-Bretagne ouverte et tolérante, ce courant xénophobe apparu en plein jour à l'époque d'Enoch Powell n'a pas disparu. Il est juste resté sous le radar.

Tout le monde savait où se situait Nigel Farage. Lui seul ne pouvait cependant rendre le Brexit honorable aux yeux d'une grande partie de la population.

Sans Boris Johnson, figure populaire et respectée qui l'a légitimé, il n'y aurait probablement jamais eu de Brexit. Et, d'ailleurs, David Cameron ne s'y est pas trompé qui a vraiment accusé le coup en entendant sa prise de position en faveur du Brexit alors qu'il l'avait appelé à le rejoindre. Boris Johnson a avoué lui-même avoir tergiversé en tournant comme un trolley de supermarché dans son appartement et avoir préparé deux déclarations contradictoires. Une pour le maintien dans l'UE, l'autre pour la sortie. Pour tous, il était évident que le choix qu'il avait fait relevait de l'opportunisme pur et simple. Ce qu'il souhaitait probablement était de pouvoir prétendre au poste de chef du parti et dans la foulée de Premier ministre, en incarnant une tendance devenue prédominante au sein du parti. Dans un débat contradictoire pendant la campagne sur les conséquences du Brexit en termes chiffrés, Amber Rudd alors ministre de l'Énergie, a touché juste en rétorquant que le seul chiffre qui intéressait véritablement Boris était Number 10, la résidence du Premier ministre… L'ambition affichée d'être un Churchill était patente dans sa biographie du grand homme, pas toujours très rigoureuse selon les historiens, mais où il trace un parallèle évident avec sa propre personne en insistant sur le facteur humain, la force d'un homme. La force d'un homme seul.

Boris, tous l'appelaient avec affection par son prénom. C'était le maire charismatique de cette ville-monde qu'était Londres, l'homme des Jeux olympiques réussis, dans un pays où le ridicule ne tue pas tant l'autodérision est appréciée. L'une des images des Jeux, restée dans les annales, est en effet celle du maire de Londres suspendu pendant de longues minutes à un câble emmêlé d'une tyrolienne au-dessus de Victoria

157

Park et brandissant deux petits drapeaux britanniques. C'était incontestablement l'homme politique le plus populaire, le plus drôle. Une personnalité exceptionnelle aux multiples origines revendiquées, turque, russe, française.

Né à New York, Boris Johnson avait aussi la nationalité américaine, à laquelle il a au demeurant renoncé tardivement en 2015 pour ne pas payer d'impôts aux États-Unis. Il appartient à une famille de l'establishment, aux convictions européennes bien ancrées, comme sa sœur Rachel, que j'aime beaucoup, intelligente, pétillante et chaleureuse, journaliste, chroniqueuse et romancière. Son père, Stanley Johnson, que je rencontrais dans les dîners et au théâtre, le patriarche, est un ancien journaliste et fonctionnaire européen, précurseur sur les questions environnementales, une forte personnalité aimant aussi la provocation. Ses deux autres frères, Max peu engagé dans la vie politique et Jo que j'ai vu dans ses incarnations ministérielles, aussi discret et rigoureux professionnellement que Boris peut être impétueux et approximatif. Parlant un excellent français, Jo avait accepté d'être l'invité d'honneur de la journée de la francophonie à la résidence de France, où il avait tenu un discours très européen. Plus tard, en novembre 2018, secrétaire d'État aux Transports, il avait eu le courage de démissionner du cabinet May pour protester contre les « délirantes négociations » menées par la Première ministre qui laisserait le pays piégé dans une relation de subordonné face à l'UE. Il appelait surtout à un second vote. Il a rejoint son frère pendant quelques semaines au cabinet pour promouvoir un Brexit dur. Esprit de famille. Solidarité du clan. Ses convictions personnelles ont malgré tout fini par l'emporter quand Boris Johnson a expulsé sans ménagement du Parti conservateur vingt et un respectables Tories fidèles au parti depuis des décennies, dont Nicolas Soames, le petit-fils de Winston Churchill.

J'ai apprécié Boris comme tout le monde pour son immense culture classique, son excentricité, sa propension à faire rire, y compris de lui-même, en toutes circonstances. Je lui suis surtout reconnaissante de sa solidarité lors des attaques terroristes en France. Il avait décidé d'illuminer les principaux lieux emblématiques de Londres comme le London Bridge et Trafalgar Square aux couleurs du drapeau français en hommage aux victimes des attentats contre *Charlie Hebdo*. Il était présent ce soir-là aux côtés de la communauté française qui s'y était rassemblée. Il est également venu spontanément assister au match amical entre la France et l'Angleterre après les attentats de Nice. Nous étions sur le même rang et il chantait *La Marseillaise* à tue-tête. Il adore parler le français.

Mais Boris Johnson surnommé BoJo, puis un temps BoGo quand il a opté pour la sortie de l'Union européenne, ou encore Bozo le clown par ses adversaires, est aussi l'homme des paroles insultantes à l'égard de l'Union européenne et de ses membres, en premier lieu des Français, qu'il n'a pas hésité à traiter de cons (*turds*).

C'est surtout un menteur impénitent. Il a d'ailleurs été licencié de son journal le *Times* au bout d'un an pour avoir falsifié une citation. Repêché par le *Daily Telegraph*

159

comme correspondant à Bruxelles il s'en est donné à cœur joie en pipeautant les informations, ainsi sur la prétendue obligation, aux termes de la législation européenne, d'avoir des bananes droites et non incurvées. Ce qui a fait dire aux auteurs du petit livre de la collection humoristique Ladybird consacré à l'histoire du Brexit[1] qu'« être dans l'Union européenne est terriblement compliqué, en sortir aussi » mais qu'« heureusement la question posée par le référendum ne paraissait pas du tout compliquée : il s'agissait de la liberté des bananes (*it was something about the freedom of bananas*) ». Les autres exemples sont aussi farfelus qu'innombrables.

Rien dans son histoire n'en faisait pourtant un souverainiste ou un anti-immigrant : la première fois que j'ai rencontré Boris – puisque c'est ainsi que tous l'appelaient même ses opposants et même, bizarrement, dès la première rencontre –, une semaine après mon arrivée, il était mon voisin de table lors d'un petit déjeuner débat comme les affectionnent les Britanniques. Il était l'invité d'honneur et a fait une brillante intervention établissant une comparaison entre Sparte ville fermée et xénophobe qui a disparu de la carte alors qu'Athènes, ville ouverte, avait survécu. C'était de Londres qu'il parlait, loin donc des thèses de Nigel Farage.

J'ai fait remarquer un jour que la xénophobie n'était pas dans son ADN, que les piques contre tel ou tel relevaient plus d'un désir de provocation, d'un plaisir malin au politiquement incorrect. Il avait d'ailleurs dit

---

1. J. A. Hazeley & J.P. Morris, *The Story of Brexit*, Ladybird Books Ltd.

à un de ses collègues qu'il ne fallait jamais sacrifier un bon mot à la vérité. La réponse de mon interlocuteur a fusé : la xénophobie n'est peut-être pas dans son ADN mais le mensonge si. Les mensonges, les provocations et les insultes sont effectivement légion. Lorsqu'il a été nommé – contre-intuitivement – ministre des Affaires étrangères par Theresa May, les journalistes ont pointé toutes ses insultes, souvent imagées, à l'encontre de tel ou tel pays ou dirigeant. Il a fini par avouer qu'il faudrait toute une vie pour présenter des excuses à tout le monde. Il n'allait donc pas perdre son temps à cela.

Menteur invétéré, Boris Johnson a encore prouvé qu'il l'était en tweetant le jour des élections municipales de mai 2019 qu'il venait de voter pour les conservateurs, appelant à faire comme lui. Le problème est qu'il n'y avait pas d'élections à Londres ce jour-là ! Le mensonge pour embellir la réalité, le mensonge comme un jeu mais aussi comme instrument de pouvoir. La fin justifie les moyens. Boris Johnson est sans foi ni loi. Il n'est pas étonnant à cet égard que trois ans après le référendum le recours en justice introduit par l'avocate pro-européenne Gina Miller, pour annulation de sa décision de suspendre le Parlement en septembre 2019 pendant trois semaines afin d'éviter débats et contestations, fut fondé sur le fait que le Premier ministre avait menti à la reine sur les raisons de cette décision, qu'il avait présentée comme obligatoire pour pouvoir ouvrir une nouvelle session parlementaire.

Boris Johnson estimait sans doute que l'appartenance à la caste des anciens élèves d'Eton et d'Oxford autorisait tous les écarts de langage et les provocations. L'on se souvient du *Go whistle* (littéralement : « Allez siffler » ou « Allez-vous faire voir » en français) en réponse aux exigences financières de l'Union européenne sur ce qui était dû par le Royaume-Uni, aussi heureusement de la répartie de Michel Barnier qui affirmait n'entendre aucun son de sifflet mais seulement le tic-tac de l'horloge qui avertissait du peu de temps restant pour les négociations. Comme Boris Johnson a de la constance dans les idées, il m'avait dit lors d'un dîner à ce propos : « Vous n'aurez pas un sou, pas un sou », en français. Interrogé sur les conséquences du Brexit pour le commerce, il ne cessait de clamer avec légèreté que les Britanniques continueraient à acheter du prosecco italien, des voitures allemandes et du fromage français. Il s'est d'ailleurs étonné lorsque les Italiens et les Allemands répondaient qu'ils préféraient ne plus en vendre à un pays et continuer à en vendre aux vingt-six autres.

Ses bourdes en improbable ministre des Affaires étrangères, qui a été décrit comme Falstaff dans le bureau de Palmerston, sont aussi restées dans les mémoires. Ainsi, lors d'une visite officielle en Birmanie, la récitation d'un poème à la tonalité colonialiste de Kipling dans la grande pagode Shwedagon de Rangoon alors que l'ambassadeur de Sa Majesté lui soufflait désespérément que c'était inapproprié.

Toutefois l'indulgence s'est émoussée une première fois au lendemain du Brexit quand il est sorti de chez lui, tête basse sous les huées de jeunes Londoniens en majorité pro-européens qui se sont sentis trahis par leur maire. Puis le 14 juillet, au lendemain de sa nomination, trois semaines après le référendum, son discours dans les jardins de l'ambassade de France où je l'avais invité pour la célébration de la fête nationale a été accueilli par des huées (« Booh ! Booh ! ») qui se sont amplifiées au fur et à mesure qu'il parlait. Quelques journalistes britanniques arrivés en retard m'ont affirmé qu'ils l'auraient hué eux aussi. « *Angry Remainers* » (des Remainers en colère), m'a-t-il dit en partant, m'assurant que tout irait bien : « *Everything will be fine.* » Il a exprimé un étonnement sincère lorsque je lui ai répondu que je pensais que ce serait au contraire très difficile. Il n'y avait pas eu de caméras de télévision à la demande du Foreign Office, mais les journalistes qui étaient invités ès qualité se sont empressés de transmettre ces images aux chaînes de télévision. Quelques jours plus tard, lors d'une interview à Sky News, le journaliste m'a demandé, amusé, si je savais qui avait hué. Je lui ai répondu que je l'ignorais mais que 80 % de mes invités étaient britanniques…

Je me souviens d'un autre épisode de sa tombée en disgrâce. Sa sœur Rachel m'avait invitée le 5 novembre de l'année du Brexit à une soirée chez elle pour la fête de Guy Fawkes, qui commémore l'échec de la conspiration des Poudres visant à assassiner le roi James Ier, le 5 novembre 1605. Ce jour-là, l'effigie de la personne la plus impopulaire de l'année est brûlée sur un bûcher. Toutes les familles se rejoignaient dans les jardins communs qui réunissaient plusieurs maisons de Notting Hill. Arrivée un peu en retard et voyant disparaître une masse de cheveux blonds dans les flammes du bûcher,

Rachel un peu étonnée m'a demandé si c'était la reine. C'était son frère !

Theresa May, qu'il méprisait ouvertement, a gardé obstinément Boris Johnson à l'intérieur de la tente en pensant qu'il serait moins dangereux qu'au-dehors. Elle l'a parfois recadré mais il s'est montré peu loyal et a fini par démissionner, avec David Davies, au lendemain de la réunion du 6 juillet 2018 à Chequers, la résidence de campagne des Premiers ministres. Theresa May y avait réuni les membres de son cabinet pour obtenir un texte de compromis sur le Brexit. Elle avait averti que ceux qui refuseraient devraient commander un taxi. Les deux hommes ont accepté pour rentrer dans leurs voitures de fonction et ont démissionné dès le lendemain. Boris Johnson a ensuite continué ses imprécations contre les « *remoaners* » (contraction de *remainer* et de *moaner* « geignard »), condamné « ceux qui n'ont pas foi dans le Royaume-Uni, *the greatest country on earth* » (traduction au choix : le plus grand, le plus beau, le plus important, le meilleur pays au monde…) et évoqué à chaque occasion « les opportunités fabuleuses du Brexit » sans jamais indiquer lesquelles, en espérant que son heure viendrait. Il a accompli son rêve trois ans après le référendum. Il laissera en tout cas à jamais le souvenir du bus rouge aux 350 millions de livres, qui figurera dans les livres d'histoire. La suite reste à écrire.

Manque de chance : sorti de nulle part et accueilli par un grand éclat de rire chez les conservateurs, car personne n'avait mesuré alors l'état de l'opinion, Jeremy Corbyn a été porté à la tête du Parti travailliste le 12 septembre 2015 par des jeunes enthousiasmés par son style non conformiste et ses idées d'extrême gauche. Une sorte de gauchiste confit dans les années soixante-dix, y compris sur le plan vestimentaire, qui a rarement respecté la discipline de son parti, contre les instructions duquel il a même voté cent quarante-huit fois. L'antithèse du New Labour de Tony Blair et des centristes qui se sont présentés contre lui, comme le favori, le brillant Andy Burnham, élu plus tard, en 2017, maire du grand Manchester ; Yvette Cooper, courageuse, déterminée, polémiste acérée, qui a continué la campagne et est intervenue plus tard dans les débats au Parlement pour questionner le gouvernement sur les impacts économiques du Brexit ; Liz Kendall ou Chuka Umunna, « le Barack Obama britannique », jeune et talentueux avocat dont le père était nigérian, mais qui a très vite jeté l'éponge en renonçant à sa candidature à la tête du parti, selon ses dires pour des raisons personnelles.

Tous ont été balayés. Chuka Umunna a continué de s'exprimer contre le Brexit. Il a ensuite quitté le parti, avec lequel il ne se sentait plus en phase, pour créer avec six autres députés à la veille des élections européennes le Groupe indépendant puis rejoindre en juin 2019 les LibDem.

Il n'était pas requis en 2015 d'être membre du Parti travailliste pour voter. Il suffisait en fait de verser 3 livres pour élire le leader du parti, et l'on s'est aperçu à la fin qu'il s'agissait d'un mouvement de masse qui avait atteint jusqu'à 500 000 membres et dont le noyau s'appelait Momentum plutôt que d'un parti traditionnel. Des députés conservateurs m'avaient confié que leurs propres enfants avaient rejoint ce mouvement. Jeremy Corbyn est le Bernie Sanders ou le Mélenchon britannique, détonnant dans un pays apparemment acquis au libre-échange et au libéralisme, mais les mêmes causes semblent produire les mêmes effets, à droite ou à gauche, dans ce moment populiste que connaissent de nombreux pays.

L'on dit que, contrairement au Parti conservateur dont « l'autoritarisme ou l'absolutisme est tempéré par le parricide », le Labour ne défenestre généralement pas ses dirigeants, or les travaillistes modérés n'ont eu de cesse de renverser Jeremy Corbyn. Les députés travaillistes ont été près de réussir et une motion de défiance a été déposée contre lui moins d'un mois après le référendum. Une démission en masse a suivi. La motion avait remporté cent soixante-dix voix contre quarante mais il a d'abord refusé de démissionner puis a été réélu. Il est resté bien protégé par sa base électorale et a réussi chaque fois à sauver sa tête, d'autant plus que les membres du parti n'étaient plus en mesure de présenter un candidat qui aurait fait le poids. Après plusieurs tentatives infructueuses, ils ont abandonné et sont restés en retrait.

Celui qui a tant voté contre son parti a exigé de ses troupes une discipline de fer et une obéissance *perinde ac cadaver,* selon le principe d'Ignace de Loyola. Il n'a pas accordé de vote libre. Plus grave, les députés qui n'ont pas suivi les instructions du *whip* (qui de manière imagée signifie « fouet » en français) – le président du groupe – ont été traqués et ont même reçu des insultes et des menaces de mort. Certaines avec des connotations antisémites. Ce fut également le sort réservé à une journaliste qui n'avait pas fait preuve de complaisance lors d'une interview, au cours de laquelle Corbyn ne s'était pas montré très performant. Cela est resté une faille dans ce parti où les positions propalestiniennes prépondérantes ont évolué vers un véritable antisémitisme que Corbyn s'est refusé à condamner clairement, comme l'a montré l'indulgence dont il a fait preuve envers l'ancien maire de Londres, Ken Livingstone, surnommé Ken le Rouge, ouvertement antisémite, en refusant de l'exclure du parti. À la suite d'un rapport indépendant sur la gestion des cas d'antisémitisme au sein du parti, Jeremy Corbyn a été suspendu du Parti travailliste en octobre 2020.

En revanche, Jeremy Corbyn n'a pas hésité, en raison de désaccords, à écarter ses plus proches comme le fils de son mentor Tony Ben, le milliardaire rouge : Hilary Ben, véritable démocrate et européen engagé, excellent orateur qui a constamment essayé de le convaincre pendant la campagne de se prononcer clairement en faveur du maintien dans l'Union européenne. Il a fini par présider la commission parlementaire sur la sortie de l'Union européenne en formulant et reformulant de façon incisive ses questions, et en traquant les imprécisions et les contradictions des membres du gouvernement notamment sur les études d'impact économique du Brexit. Il a été l'auteur, en septembre 2019, du projet de loi visant à exclure une sortie de l'Union européenne sans accord.

Le fidèle lieutenant de Corbyn, le chancelier de l'Échiquier du cabinet fantôme, John McDonnell, marxiste orthodoxe qui a brandi un jour à la télévision le Petit Livre rouge en suscitant l'hilarité de Theresa May, est l'autre épouvantail du parti. Jeremy Corbyn, arguant d'une expérience cuisante en Écosse où les dirigeants du Parti travailliste avaient fait campagne contre l'indépendance aux côtés des conservateurs et perdu tous leurs sièges au profit du Scottish National Party, ne s'est pas investi dans la campagne, laissée aux bons soins d'Alan Johnson, ancien dirigeant compétent et très respecté du Labour mais dépourvu de la béné-diction du chef. Les autres personnalités de gauche, la patronne des syndicats (Trade Unions Congress, TUC), Frances O'Grady, et le maire de Londres, Sadiq Khan, ont fait ce qu'ils pouvaient dans des plaidoyers vibrants en mettant en garde les travailleurs contre les risques de perdre les protections garanties par l'appartenance à l'Union européenne. *In fine*, bien que les deux tiers des électeurs du Parti travailliste aient quand même voté Remain, c'est dans les bastions travaillistes du Nord, le « mur rouge », qu'a été recensé le plus grand nombre de votes en faveur de la sortie de l'UE. Ce qui a été considéré au mieux comme une ambiguïté, au pire, mais au plus près de la réalité, comme une hostilité du chef du parti à l'Union européenne, a empêché un vote massif des électeurs travaillistes en faveur du maintien. Jeremy Corbyn, comme Boris Johnson, avait surtout à l'esprit ses chances d'occuper Downing Street et dans l'immédiat de se maintenir à la tête du parti. Il a donc bien lui aussi donné un coup de couteau et porte une grave responsabilité dans l'échec du référendum.

Après les hommes, les institutions du Royaume.

La BBC en premier lieu. La position de la Beeb, autre vache sacrée, modèle planétaire, la plus belle incarnation du soft power britannique, a littéralement enragé les Remainers. Dépendante, contrairement aux médias écrits, du système de redevance qui en fait un service public, elle est l'objet d'un contrôle strict par le gouvernement, qui la considère avec suspicion comme un ramassis de gauchistes. Elle ne craint d'ailleurs pas uniquement le gouvernement mais aussi la colère et la vindicte du *Daily Mail* autrement plus dangereuse pour la carrière des journalistes et l'avenir de la chaîne que les critiques du *Guardian*. C'est pourquoi le dilemme de la BBC est constant. En 2015, à la veille des élections générales, un éminent journaliste à qui j'avais posé la question avait résumé ses hésitations personnelles dans une formule parlante : si les conservateurs gagnent, je perds mon emploi, si ce sont les travaillistes, je perds mon salaire… J'avais un soir demandé à un jeune journaliste qui m'accueillait à Portland Place, siège historique de la BBC, ce qu'il pensait du référendum. Il m'a répondu comme une évidence qu'il ne pouvait même pas penser (*can't even think*) qu'il était envisageable de sortir de l'Union européenne. Soucieuse de démontrer sa stricte impartialité, la BBC s'est efforcée de prouver cette neutralité par l'absurde. En contrepoint des experts les plus reconnus, elle est allée chercher d'illustres inconnus qui, selon la formule de Lacan, ne s'autorisaient que d'eux-mêmes. Ainsi, face à d'anciens secrétaires généraux de l'OTAN, de hauts responsables des services de renseignements ou des chefs d'état-major qui mettaient en garde contre les risques d'isolement en matière de sécurité, la BBC alignait des personnes sans autres qualités que d'être des Brexiters. Ce qu'ils racontaient au *Today Programme* ou pendant l'*Andrew Marr show*, émissions de très grande qualité, qui donnent le ton de la journée pour la première, de la semaine pour la seconde, était généralement pris pour argent comptant. Oubliée, la règle d'or du « *check three times* » (vérifier trois fois) admirée par les professionnels du monde entier. La BBC a fini par être surnommée à tort ou à raison « *Brexit Broadcasting Corporation* ». Aujourd'hui, les Brexiters lui ont trouvé le nouveau surnom de « *Boris Bashing Broadcasting* » et envisagent la création de deux chaînes privées du type de Fox News, preuve que la BBC reste à la fois respectée et menacée.

La presse écrite dans ce pays aux douze journaux avait encore, en 2015/2016, une influence déterminante. Il était même de règle que les rédactions se déclarent en faveur de tel ou tel candidat. La presse était divisée. Le *Financial Times,* le *Times,* le *Guardian* et, pour les tabloïds, le *Daily Mirror* étaient pro-Remain. Les propriétaires de plusieurs journaux ont toutefois été prudents à l'instar de la famille Rothermere dont le *Daily Mail* était farouchement pro-Brexit alors que l'édition dominicale le *Mail on Sunday* était favorable au *statu quo*. La situation était la même mais inversée pour Murdoch, la version dominicale du *Sunday Times* étant pro-Leave de même que le tabloïd *The Sun*.

La spécificité du Royaume-Uni est la coexistence d'une presse de qualité, parfois la plus professionnelle et la plus affûtée du monde, qui a des lecteurs sur toute

la planète, et des fameux tabloïds – qui tiraient leur nom
du demi-format dans lequel ils étaient édités avant de
devenir synonymes de presse de caniveau –, aux titres
à sensation, jouant sur les peurs en multipliant notamment les unes sur les migrants. Le seul journal de qualité
s'étant prononcé pour la sortie de l'Union européenne
était le *Daily Telegraph*, journal de droite dont Boris
Johnson a été le correspondant désinvolte à Bruxelles
et auteur d'articles mensongers sur l'UE. Journal où
il a décidé de publier sa colonne prenant position en
faveur du Brexit. Les tabloïds ont choisi (à l'exception
du *Mirror* cité plus haut) la sortie. Le *Daily Mail*, journal de la *Middle England*, l'Angleterre profonde titre du
roman de Jonathan Coe –, mérite une mention particulière. Ce journal à l'influence démesurée, qui dépasse
le million d'exemplaires et a le site le plus lu au monde,
a été par excellence le journal du Brexit. Il y a parfois
de remarquables journalistes d'investigation mais la fin
justifie les moyens. Depuis longtemps déjà, le *Daily Mail*
vouait aux gémonies les élites de Bruxelles et préparait les opinions publiques à l'europhobie. Alors que les
Remainers commençaient une campagne de quelques
mois, celle du Brexit avait commencé en réalité il y a
déjà des années dans la presse tabloïde.

La période a coïncidé avec la montée en puissance
des réseaux sociaux, s'accompagnant d'utilisation frauduleuse des données par la société Cambridge Analytica
mentionnée dans le précédent chapitre. Naguère, en
Grande-Bretagne, les pubs étaient le défouloir entre
voisins grincheux. La Toile est devenue un vaste pub
où chacun vitupère, grogne, insulte et menace, protégé

par l'anonymat et dans l'impunité la plus totale. Cela a brisé tous les tabous et ce qui, autrefois, constituait un délit est proclamé sans vergogne : puisque beaucoup pensent comme moi, j'ai donc raison.

Et nous ? L'Union européenne droite dans ses bottes ? A-t-elle fait son examen de conscience ? Dans une période changeante où la question migratoire a touché tous les pays, était-il possible de se montrer plus souple vis-à-vis du Royaume-Uni ? L'UE aurait-elle pu jouer un rôle plus positif au lieu de se tenir totalement à l'écart, tétanisée, sans même prendre la peine de rectifier les mensonges factuels des partisans du Brexit. Accusée de trop légiférer et d'être trop bureaucratique, elle s'est simplement gardée d'en rajouter pendant la période pré-référendaire. Pourtant, les Européens avaient évolué à Paris comme à Berlin. Le fédéralisme était en reflux au profit d'une approche intergouvernementale, plus flexible autour de cercles concentriques. Les migrations étaient devenues un problème, même si, au Royaume-Uni, l'immigration officiellement en cause était intra-communautaire alors que, dans les autres pays, elle était originaire de pays tiers en difficulté politique ou économique. Il aurait fallu tôt ou tard adopter une véritable politique migratoire européenne.

Les Européens étaient cependant lassés de devoir toujours accorder un statut dérogatoire aux Britanniques. Mais, surtout, David Cameron lui-même leur avait demandé de se taire. Difficile d'aider quelqu'un qui ne veut pas l'être. Angela Merkel a-t-elle commis une grave erreur en accueillant en bloc près d'un million de réfugiés et surtout en faisant savoir aux Britanniques qu'aucune flexibilité n'était envisageable au motif que les quatre libertés (de circulation des biens, des services, des capitaux et des personnes) étaient intangibles et indivisibles ?

Difficile de répondre à ces questions mais le paradoxe est que les réformes nécessaires de l'Union européenne auraient pu être réalisées de l'intérieur avec une contribution active du Royaume-Uni. Le deuxième paradoxe est que l'Union européenne sera réformée sans doute dans un sens voulu par les Britanniques, en introduisant davantage de flexibilité, mais sans eux.

Chapitre 6

Le jour, les jours, les semaines, les mois, les années d'après

Au petit matin du 24 juin 2016 pour ceux qui étaient paisiblement allés dormir, ce fut la stupeur. L'incrédulité. La stupeur et l'incrédulité de ceux qui avaient perdu mais aussi de ceux qui avaient gagné. Dans la nuit, quatre-vingts parlementaires avaient envoyé une lettre de ralliement à David Cameron. Boris Johnson avait assuré en privé quelques semaines auparavant que le Brexit n'aurait pas lieu : « It won't happen. » Il l'a redit à David Cameron au moment où il l'a informé de son choix en faveur du Brexit.

Comme ailleurs dans Londres, dans les ministères de Whitehall, on se regardait sans comprendre. Désemparé, un fonctionnaire du ministère de la Justice a dit à une de mes collaboratrices qui coopérait au quotidien avec les Britanniques, notamment en ce qui concerne l'entraide judiciaire : « Nous savons que nous venons de heurter l'iceberg mais nous ne savons rien de plus. »

Du côté des partisans du maintien dans l'Union européenne, cela a été comme l'annonce d'un divorce ou
d'un deuil accompagné d'une forme de déni. Quelque
chose leur avait été ôté brutalement. Certains ont même
avoué avoir pleuré. La colère est venue ensuite. Un sentiment de honte aussi s'est exprimé très fréquemment
pour un vote perçu comme rétrograde et xénophobe.
Plusieurs fois on m'a même présenté des excuses : « We
apologize. » C'est ce que j'ai entendu au moins dix fois
lors de la garden-party estivale du *Financial Times* qui a
eu lieu quelques jours après le verdict des urnes. Parmi
les témoignages apportés, un jeune Français a raconté
qu'il avait fêté son anniversaire le soir du référendum
de manière un peu bruyante et, apercevant le lendemain matin sa voisine qui se précipitait vers lui, il s'attendait à des reproches et s'apprêtait un peu gêné à
présenter ses excuses. Il fut extrêmement surpris d'entendre des excuses appuyées pour le vote du Brexit.

Les certitudes des 3,7 millions de ressortissants européens qui vivaient depuis des années voire deux ou
trois décennies à Londres comme chez eux, *at home*,
en bonne entente avec leurs voisins, se sont écrou-
lées. Ils ont résumé leurs sentiments par une formule
choc : « Le 23 juin nous étions des Londoners, le 24
nous sommes devenus des Foreigners. » Un sentiment d'injustice très fort car ils n'ont pas eu voix au
chapitre contrairement à n'importe quel membre du
Commonwealth même arrivé de fraîche date. Dès le
début, ils ont craint d'être monnaie d'échange (*bar-
gaining chip*) dans la négociation. De fait, leur situation
n'est pas réglée. Certains, notamment les Polonais, sont

rentrés dans leur pays, ainsi que des Français. D'autres ont entamé la procédure d'acquisition de la nationalité britannique ou de résidence permanente. Le sentiment d'amertume demeure. Quant au million et demi de Britanniques installés dans les pays de l'UE, qui s'intégraient parfaitement à la vie locale en occupant parfois des fonctions de conseillers municipaux, c'était le cadet des soucis des partisans du Brexit.

En fait, dès le matin du 24 juin, l'atmosphère a changé à Londres et dans le reste du pays. Les démons avaient été lâchés. Les tabous étaient tombés. Ce qui se pensait dans son for intérieur ou se disait, après un verre de bière, dans les pubs entre amis ou voisins a été validé par la victoire, qui a en réalité légitimé l'intolérance, la haine, la xénophobie et le racisme. Dès le lendemain du référendum, ont commencé dans la rue ou le métro des insultes contre les étrangers sur le thème : « Rentrez dans votre pays ! C'est pour cela qu'on a voté ! » Personne n'a été épargné. Ma collègue suédoise, qui n'a pas l'habitude que ses concitoyens soient traités de cette manière, était particulièrement indignée. Les Polonais ont été pris de front et des graffitis insultants contre la « vermine polonaise » ont été inscrits sur les murs de l'Institut culturel polonais. Ce déferlement de haine s'est soldé par des agressions, dont une mortelle dans cette communauté, dans la ville nouvelle de Harlow non loin de Londres.

L'ambassade et le consulat général de France avaient organisé des réunions avec les conseillers consulaires français pour tenir un recensement de ces agressions verbales. Chacun y allait de son témoignage. Une jeune femme charmante, dirigeante d'entreprise, avec deux petits enfants bien élevés a été prise à partie dans le métro parce qu'ils osaient parler français. Les thèmes des agressions connaissaient des variantes. Les Français, de manière générale, se voyaient reprocher leur lâcheté, étaient sommés de rentrer dans leur pays où on leur promettait le même sort que pendant la Seconde Guerre mondiale. Les populations de couleur étaient en proie à un racisme exacerbé.

Beaucoup de Londoniens ont dit ne pas reconnaître leur pays, réputé à tort ou à raison pour sa tolérance et sa modération. Inquiets de ces dérives, des parlementaires ont initié une campagne contre la xénophobie intitulée « *Better than that* » à Westminster. J'avais été invitée avec quelques autres ambassadeurs à cette cérémonie de lancement. Je ne sais ce que ce mouvement est devenu. J'ai été auditionnée sur ces agressions verbales par un comité de la Chambre des communes. Le maire de Londres, Sadiq Khan, élu peu de temps auparavant, a été proactif. J'ai été invitée à la mairie en compagnie des ambassadeurs des principales communautés étrangères pour recevoir l'assurance chaleureuse que Londres resterait une ville ouverte et protectrice des droits et de la sécurité des étrangers. Il a incité à rapporter à Scotland Yard toutes les agressions physiques comme verbales. Le *permanent secretary* (secrétaire général du Foreign Office), le très souriant et affable Simon McDonald, a réuni également en compagnie d'un représentant du Home Office, le ministère de l'Intérieur, les ambassadeurs des vingt-sept pour nous garantir le respect des droits de nos ressortissants.

Les abus n'ont pourtant pas cessé et les exemples, surréalistes parfois, se sont multipliés. Ainsi, un jour, dans la rue, une passante s'est vu intimer l'ordre, par une femme enragée, de parler anglais. Or cela se passait au pays de Galles et cette jeune femme s'exprimait dans sa langue nationale : le gallois... Pire encore, les injonctions de quitter le territoire ont commencé, de façon parfois ubuesque et choquante : des conjoints européens de Britanniques, vivant dans le pays depuis une vingtaine ou une trentaine d'années et ayant des enfants de nationalité britannique également, ont reçu des lettres du Home Office : leur demande de séjour ou d'acquisition de nationalité avait été jugée non recevable... Le *Guardian* a publié nombre de ces témoignages indignés et désespérés.

Le scandale dit de la « génération Windrush » en 2018 est venu rappeler que les dérives même aberrantes n'étaient pas exclues. Ces populations jamaïcaines, appelées du nom du bateau *Empire Windrush* dont le premier contingent de 492 personnes avait débarqué en 1948, avaient été invitées à venir travailler au Royaume-Uni pour contribuer à la reconstruction du pays en mal de main-d'œuvre après la Seconde Guerre mondiale. Des centaines de milliers sont arrivés par la suite de manière tout aussi légale en provenance des Caraïbes jusqu'en 1973. Ces personnes bénéficiaient automatiquement d'un droit de résidence en tant que « citoyens du Royaume-Uni et des colonies ». Toutefois aucun document ne leur avait alors été délivré et leur droit à séjourner dans le pays n'avait d'autre preuve écrite que les certificats d'embarquement sur les bateaux. Or ces documents ont un jour été purement et simplement détruits par le ministère de l'Intérieur. À partir du moment où la ministre de l'Intérieur a décidé de créer un « environnement hostile » pour les migrants, cinquante mille d'entre eux, y compris leurs descendants, se sont retrouvés du jour au lendemain en situation irrégulière, incapables de prouver leur bon droit dans un pays où la carte d'identité n'existe pas, expulsés, incarcérés ou interdits de retour sur le territoire s'ils étaient allés voir leur famille. Ce scandale a d'ailleurs contraint la ministre de l'Intérieur de l'époque Amber Rudd – qui n'y était pour rien – de démissionner en avril 2018. Cela n'a pour autant pas réglé complètement le problème même si Theresa May a été amenée à présenter des excuses et assurer que ces personnes pourraient rester sur le territoire britannique comme elles en avaient reçu l'assurance à leur arrivée.

Le vaudeville politique, qui n'a jamais cessé depuis, a commencé dès le lendemain du référendum. Cela m'a rappelé *House of Cards*. L'on oublie généralement que la première version si délicieusement British, dans les années quatre-vingt-dix, de cette série de la BBC sur l'obsession du pouvoir, les ambitions, les intrigues, les trahisons, les vengeances, le cynisme, et que j'ai regardée avec délectation dans mon salon de Kensington Palace Gardens, n'a rien à envier au remake américain mieux connu. Il y est décrit précisément le fonctionnement des institutions politiques.

La procédure de sélection d'un nouveau Premier ministre conservateur est bien rodée : il appartient au tout-puissant « comité 1922[1] », composé de dix-huit députés conservateurs d'arrière-ban (*backbenchers* par opposition aux *frontbenchers*, c'est-à-dire les membres du cabinet et les ministres) surnommés « les hommes en costume gris » même si ce comité compte maintenant des femmes, de superviser le processus et de désigner des députés après plusieurs votes éliminatoires. Les deux candidats qui emportent le plus de voix sont soumis ensuite au vote des quelque 160 000 adhérents du parti. Le comité a droit de vie ou de mort sur les dirigeants Tory. Il peut convoquer un jour le Premier ministre pour lui faire savoir qu'il ou elle a perdu la confiance du parti et que l'heure est venue de démissionner. Margaret Thatcher a fait l'amère expérience de la trahison des siens en novembre 1990, avant que ce ne fût le tour de Theresa May en mai 2019.

Pour tous, Boris Johnson, principal acteur du Brexit, était le candidat naturel et il semblait évident même qu'il remporterait ce scrutin. Tout le monde s'est donc branché sur son intervention télévisée qui ne pouvait être autre qu'une déclaration de candidature. Quelle ne fut pas la stupéfaction générale quand, vers la fin d'une courte péroraison, il a déclaré qu'il ne pouvait pas être le futur Premier ministre. C'était un peu comme si, dans les élections qui ont suivi aux États-Unis, Donald Trump s'était dérobé et avait renoncé à être président

---

1. Groupe parlementaire de députés conservateurs d'arrière-ban créé à la suite des élections générales de 1922 déclenchées par le retrait des conservateurs du gouvernement de David Lloyd George.

après sa victoire. Le deuxième favori semblait être en toute logique Michael Gove, ministre de la Justice, qui avait constitué un tandem avec Boris Johnson pendant la campagne, mais, en retirant soudainement son soutien à Boris Johnson en affirmant que ce dernier n'était pas assez fiable pour exercer ces fonctions (*not fit for the job*), il a revêtu les habits du traître et s'est autopoignardé. Il a donc été éliminé. L'on s'attendait alors à un combat pendant l'été entre deux femmes : Andrea Leadsom, ministre de l'Agriculture et Theresa May, ministre de l'Intérieur. Le nouveau rebondissement le week-end suivant fut une interview dans le *Sunday Times* d'Andrea Leadsom qui expliquait qu'elle serait une meilleure Première ministre, étant mère de famille, que Theresa May qui n'avait pas d'enfants car cette dernière n'avait de ce fait aucun intérêt (*stake*) dans l'avenir de ce pays (*sic*). Le fait d'être une maman (*a mum*) avait d'ailleurs été le principal argument de sa campagne en faveur du Brexit. L'inélégance et la cruauté d'une telle remarque, sachant que Theresa May avait confié auparavant son regret de ne pas avoir pu avoir d'enfants, a suscité un tollé tel, y compris parmi les dirigeants du parti, qu'après avoir nié ces propos – qui avaient bien entendu été enregistrés par la journaliste – elle a dû renoncer à son tour. Je me souviens d'avoir vu sa déclaration de renoncement à la télévision en arrivant le lundi en fin de matinée dans la loge des ambassadeurs sur le côté du Foreign Office, avant de me rendre à l'invitation du secrétaire permanent pour entendre la position britannique sur le sort des citoyens européens. En attendant qu'un jeune fonctionnaire descende nous chercher, je regardais avec trois de mes collègues, incrédules, fascinés et au bord du rire, ce nouvel épisode déroutant de ce qui serait la longue saga du Brexit.

Restait alors, comme on l'a dit, « la seule adulte dans la pièce » : Theresa May. Sa nomination par K-O des autres combattants a été accueillie par tous avec soulagement : le Royaume-Uni qui avait vécu un moment de folie stupéfiant semblait revenir sur de bons rails. Ainsi était désignée non une partisane du Brexit, une « révolutionnaire » comme ses trois rivaux, mais une conservatrice dans l'acception commune du terme, plutôt perçue comme une Remainer – certes jugée tiède par les partisans du « In » l'accusant d'avoir été un « sous-marin » qui n'avait pas sorti la tête de l'eau pendant la campagne. Néanmoins, le fait d'avoir appartenu au camp du maintien dans l'UE l'a sans doute incitée à se montrer plus royaliste que le roi.

Theresa May, élue par 329 parlementaires, sans avoir reçu l'onction des adhérents du parti et encore moins de la population, devint chef du Parti conservateur puis Première ministre le 13 juillet 2016 soit trois semaines après le référendum. Kenneth Clarke, le doyen de la Chambre des communes, aux convictions fortes et à l'humour ravageur, semblait lui avoir rendu service en confiant à la BBC en off mais alors que son micro n'avait pas été débranché qu'elle était « *a safe pair of hands* » mais « *a bloody difficult woman* » (qu'avec elle on était en de bonnes mains mais qu'elle était une femme sacrément difficile), ce qu'elle a pris pour un compliment en répliquant que le premier qui découvrirait ce trait de caractère serait Jean-Claude Juncker, le président de la Commission, honni au Royaume-Uni.

Theresa May, je l'avais rencontrée plusieurs fois dans son ministère puis régulièrement avec son homologue français, Bernard Cazeneuve, avec qui elle avait pu entretenir une relation de confiance et d'amitié. Ils avaient réussi à travailler en bonne intelligence et à trouver un compromis sur Calais, où ils s'étaient rendus ensemble en août 2015 pour signer un accord visant à renforcer les contrôles de sécurité, avec une contribution financière britannique et une promesse d'accueil de réfugiés mineurs. Je les avais accompagnés en hélicoptère de Paris à Calais et leur bonne entente était visible. Le sujet du jour, en dehors du problème migratoire à Calais, était l'incroyable percée du leader de la gauche radicale, Jeremy Corbyn, à la tête du Parti travailliste. Nommé Premier ministre à la fin du quinquennat Hollande, Bernard Cazeneuve était venu spécialement à Londres pour revoir Theresa May. C'était elle aussi qui avait été la représentante du gouvernement à l'ambassade pour l'observation d'une minute de silence après l'attaque terroriste contre *Charlie Hebdo*, puis j'avais été invitée à ses côtés pour réagir aux attentats du Bataclan au *Andrew Marr Show*, la grande émission politique dominicale de la BBC. Nous avions écouté côte à côte une *Marseillaise* qu'un ténor du Royal Opera de Covent Garden, à l'invitation d'Andrew Marr, était venu chanter en hommage à nos morts.

C'est une femme sincère, sérieuse, droite et touchante. Le terme peut sembler surprenant pour ceux qui l'ont vue si souvent en *Maybot* (le robot May) répétant en boucle des slogans creux. Mais je me souviens d'un dîner restreint à la résidence, au cours duquel elle avait raconté à Bernard Cazeneuve son parcours et sa vocation politiques, son rêve depuis l'âge de treize ans d'être députée à Westminster. Elle était aussi discrètement féministe en nommant et promouvant des femmes dans son ministère. Comment a-t-elle fini par tomber dans une disgrâce totale et être perçue comme la pire des Premiers ministres, en tout cas avant l'arrivée de son successeur ? Sa droiture est devenue entêtement et psychorigidité. Réaliser le Brexit envers et contre tout, y compris l'intérêt économique du pays, est devenu sa mission sacrée (*her sacred mission*). Tel est le terme qu'elle employait elle-même, ce qui a donné lieu à des commentaires condescendants sur son côté fille de vicaire.

Timide, souvent gauche, peu à l'aise pour exprimer des sentiments ou même une émotion, comme cela lui a été reproché après l'incendie tragique en juin 2017 de la tour Grenfell, à North Kensington, enclave de pauvreté proche du quartier huppé de Kensington & Chelsea où était située la résidence de l'ambassadeur de France. Après la mort de près de quatre-vingts personnes due à l'utilisation de panneaux de revêtement incompatibles avec la hauteur de l'immeuble, Theresa May s'est rendue sur place, tardivement et uniquement pour remercier les pompiers en évitant les familles alors que la reine était venue la veille exprimer sa compassion.

Donnant peu sa confiance, elle s'est isolée au cœur du pouvoir en déléguant tout à ceux qui ont rapidement été surnommés ses deux cerbères (*gate keepers*), Fiona Hill, une ancienne Remainer écossaise, plutôt sympathique en dehors de ses fonctions, et Nick Timothy, farouche Brexiter et idéologue à la barbe et au regard raspoutiniens mais partisan d'une politique plus sociale. Ce sont eux qui transmettaient les instructions de la Première ministre, ou les leurs parfois, avec brutalité aux membres de son cabinet. Les représentants des milieux économiques que je rencontrais se plaignaient que, contrairement à David Cameron, Theresa May ne les recevait pas à Downing Street.

Theresa May a eu pourtant son moment de gloire, de jubilation même, lors de la première conférence du Parti conservateur après son élection, en octobre 2016 à Birmingham où elle est apparue triomphante et rayonnante, dans une élégante robe rouge aux côtés de son mari. Pour l'anecdote, la grande salle du centre de conférences portait le nom d'« Allegro ». Le public euphorique, et même extatique, comme mes jeunes voisins dans la mezzanine, avait été chauffé par Ruth Davidson, dirigeante et étoile montante des conservateurs en Écosse, qui avait réussi à reprendre des voix aux travaillistes et au SNP (Scottish National Party) de Nicola Sturgeon. C'était pour Theresa May l'accomplissement d'une vie. Ovations dans la salle. Le moment des Brexiters. Ce premier discours martial et populiste dans cette atmosphère survoltée donnait l'impression que tout était gagné, que le Brexit était le choix de tout un peuple et que l'on se dirigeait vers des lendemains radieux. J'étais accompagnée de la responsable à l'ambassade de la politique intérieure, Claire, brillante experte des subtilités juridiques et institutionnelles de la vie politique britannique. Nous avons eu le sentiment ce jour-là que le reste du Royaume-Uni, de l'Union européenne et du monde n'existait pas. Les Brexiters se parlaient à eux-mêmes. Une fois de plus, c'était à se demander si les politiciens se rendaient bien compte à ce moment qu'ils n'étaient pas seuls avec les plus militants de leurs militants, totalement acquis à leur cause, mais que la presse était là aussi de même que quelques ambassadeurs invités comme observateurs, qui ne comptaient pas, certes, mais qui entendaient tout de même les propos hostiles aux étrangers.

Le discours à tonalité populiste a marqué, et choqué aussi, par la condamnation des « citoyens de nulle part » visant explicitement l'élite urbaine et mondialisée (« Si vous pensez que vous êtes un citoyen du monde, c'est que vous êtes un citoyen de nulle part »). Et Amber Rudd, nouvelle ministre de l'Intérieur, a trébuché aussi ce jour-là sur l'exigence de recensement de tous les étrangers dans les entreprises. Au lendemain de ce discours offensif annonçant la date du retrait de l'UE et qui donnait le sentiment d'aller vers un Brexit dur et précipité, la livre sterling a plongé, atteignant son plus bas niveau face au dollar depuis trente et un ans et depuis cinq ans face à l'euro.

Après une courte période de grâce dans son camp, il a fallu revenir aux réalités et se mettre au travail pour définir les positions britanniques et élaborer une stratégie. Celle-ci fut exprimée le 29 janvier 2017 à Lancaster House – là précisément où Margaret Thatcher avait annoncé en 1988 le soutien britannique au marché unique – par Theresa May devant les membres de son cabinet, les ambassadeurs de l'Union européenne, des parlementaires et la presse. Atmosphère étrange. Theresa May est arrivée un peu crispée, dans un tailleur-pantalon de tartan vert, et, comme si derrière la scène quelqu'un l'avait poussée pour couper court à son trac, elle a commencé à débiter son discours sans aucune phrase d'introduction ni même l'adresse habituelle aux « *ladies and gentlemen* ».

Le plus ironique est que cette intervention, et avec elle l'ensemble de la politique du Brexit, était placée sous la bannière du slogan « *Global Britain* » afin de démontrer par les mots, alors que les actes prouvaient le contraire, que le Royaume-Uni s'ouvrait vers le monde « par-delà les frontières de l'Europe ». Assise à côté de mon collègue allemand, je n'ai pu m'empêcher de lui murmurer à cet instant que l'Allemagne savait ce qui lui restait à faire si elle voulait pouvoir enfin commercer avec le reste du monde… Le discours a été perçu comme menaçant, « ceux qui voudraient punir le Royaume-Uni commettraient un acte calamiteux d'auto-mutilation » sachant qu'« ils auront toujours besoin de vendre leurs vins et leurs fromages » et qu'« ils auront toujours besoin de nos voitures » ; il a été également ressenti comme hostile aux étrangers. Mais surtout, Theresa May s'est enfermée dans des lignes rouges intenables, affirmant pour complaire aux Brexiters les plus durs que l'absence d'accord est préférable à un mauvais accord. La rupture devait être entièrement consommée : le Royaume-Uni n'aurait pas un pied dedans et un pied dehors, ce qui signifiait notamment le retrait du marché unique alors que nombre de militants du Brexit avaient affirmé le contraire pendant la campagne. Enfin, elle a annoncé, sur la base de simples principes généraux et sans véritable stratégie, la date du 29 mars 2017 pour le dépôt de l'article 50 qui déclenchait la négociation de retrait avec l'Union européenne et de ce fait le compte à rebours de deux ans avant la sortie effective, prévue le 29 mars 2019.

Les fonctionnaires avaient leurs feuilles de route. J'étais déjà allée voir avec mon adjoint, Jonathan, le nouveau « *Department for exiting the EU* » peu après sa mise en place. Il regroupait dans un bâtiment sis à l'entrée de Downing Street des fonctionnaires du Foreign Office prélevés sur la direction des Affaires européennes, celle-là même qui avait négocié les réformes demandées par David Cameron. Or les meilleurs spécialistes ont été écartés. Des experts britanniques de la Commission qui n'auraient de toute façon pas inspiré confiance à Londres en raison de leurs convictions européennes ont pris une nationalité qui leur permettait de poursuivre leur travail dans les institutions européennes. Le très compétent Ivan Rogers, représentant permanent auprès de l'Union européenne, a été poussé à la démission pour avoir eu le malheur d'expliquer entre autres que le Brexit serait non un événement intervenant à telle date mais un processus qui prendrait des années. Je l'ai reçu a déjeuner à la résidence à son retour à Londres. Il avait le sentiment d'avoir fait son devoir de « *civil servant* » d'informer, alerter, conseiller, en bref d'apporter une aide à la décision des politiques. Le message n'a pas plu : le messager a été exécuté.

La justesse de ses vues a pourtant été confirmée. Trois ans après le vote, le Brexit n'était toujours pas intervenu faute notamment d'accord sur sa définition par ses partisans mêmes, et la date de sortie définitive a été fixée au 31 décembre 2020, après une période transitoire d'un an soit quatre ans et demi après le référendum. Également parce que, dès le début, le Royaume-Uni a refusé de considérer, voire de comprendre que le club des vingt-sept restants n'allait pas redéfinir ses propres règles fondatrices pour complaire à celui qui avait décidé de partir. Enfin, accord ou non-accord, il resterait à définir les nouvelles relations avec l'Union européenne, ce qui ne se ferait pas du jour au lendemain. Ivan Rogers a résumé plus tard ses positions en un petit mémento de « neuf leçons sur le Brexit[1] ». D'autres experts de l'UE, comme celui du Trésor qui connaissait par cœur le traité et les règles de l'Union européenne, ou le responsable du département Union européenne au Foreign Office, ont préféré prendre du champ et suivre d'autres dossiers, parfois aussi loin que possible, sur le continent latino-américain ou australien.

Ollie Robbins, l'homme à qui avait été confiée la responsabilité de ce nouveau département ministériel sous l'autorité de David Davies, ministre en charge du Brexit, était intelligent et compétent mais il n'avait pratiquement jamais traité les affaires européennes. Le bureau dans lequel il venait de s'installer et où il

---

1. Ivan Rogers, *9 Lessons in Brexit*, Short Books, 2019.

nous recevait était vide, avec juste un ouvrage épais tout neuf : le traité de l'Union européenne. Dans le bureau voisin, celui d'un de ses collaborateurs, un seul livre sur la table : *How to Negociate*, que l'on peut traduire par « l'art de la négociation » ou encore « la négociation pour les nuls ». Nous nous sommes regardés un peu interloqués. Il leur a fallu par la suite recruter à grand prix des juristes et des experts – australiens ou néo-zélandais – des négociations commerciales, dont le Royaume-Uni était dépourvu dans la mesure où, depuis plus de quarante ans, ces compétences avaient été dévolues à la direction générale du Commerce à Bruxelles. Où, d'ailleurs, d'excellents fonctionnaires britanniques avaient apporté leurs compétences. Mais il était impossible de les recruter et, là encore, certains, Européens convaincus qui avaient consacré leur vie à la construction européenne, ont demandé une autre nationalité pour pouvoir continuer de travailler dans les institutions européennes.

David Davies et Liam Fox, le ministre du Commerce, se sont contentés de déclarer à qui voulait les entendre que tout irait bien (*everything will be fine*). C'est ce même message répété en boucle qui a été délivré à une délégation de l'Assemblée nationale française quelques semaines après le référendum sans qu'aucune réponse précise ait été apportée à ses nombreuses interrogations. David Davies qui avait déclaré avec assurance que ce serait le traité commercial le plus facile à conclure de toute l'histoire de l'humanité a peu siégé à Bruxelles et a dit un jour qu'il n'y avait pas besoin d'être intelligent pour être ministre du Brexit. Dont acte. Il a fini par démissionner avec Boris Johnson au lendemain du séminaire de Chequers durant lequel Theresa May avait contraint son cabinet à accepter et à défendre un livre blanc sur les relations futures entre le Royaume-Uni et l'Union européenne plus conciliant que ce que voulaient les Brexiters.

Pendant ce temps, Theresa May continuait de répéter de façon mécanique le même mantra dépourvu de sens : « *Brexit means Brexit.* » Souhaitant renforcer sa main et son autorité dans les négociations bruxelloises, de retour de ses vacances de marche dans les montagnes suisses comme chaque année à Pâques, elle a créé la surprise en annonçant des élections anticipées, qui portent en anglais le nom de « *snap elections* ». Une chanson, « *She is a liar, liar* » – « C'est une menteuse, menteuse » –, a fait florès sur les ondes et la twittosphère car elle avait assuré à plusieurs reprises qu'il n'y aurait pas d'élections générales.

Il se trouve que j'avais été invitée à déjeuner dans la salle à manger du Parlement de Wesminster par quelques parlementaires, dont John Brady, le président du fameux comité 1922, précisément le jour de la dernière session de questions au Premier ministre avant les élections générales. Ils m'ont donc proposé d'y assister. Les invités sont au balcon de cette petite salle intime aux sièges en cuir vert, connue dans le monde entier et popularisée par des films ou des séries télévisées, et ont de ce fait un sentiment de forte proximité. Ce jour-là, Theresa May a, en guise de campagne, répété au moins quarante-sept fois, sans lien parfois avec la question posée par les membres de l'opposition, que le Royaume-Uni avait besoin d'un gouvernement fort et stable (*Strong and stable government*), ce qui est vite devenu un compte Twitter parodique sous le nom *Stronger stabler*. Il lui suffisait en fait d'agiter à l'inverse l'épouvantail Corbyn pour recevoir un soutien enthousiaste des conservateurs. Certaine de la victoire sans avoir besoin de faire véritablement campagne, elle n'a pas jugé utile de participer au dernier grand débat, où elle a envoyé la ministre qui lui avait succédé au Home Office, Amber Rudd.

Pari raté : ces élections ont prouvé une nouvelle fois l'assertion d'André Maurois selon laquelle le résultat des élections en Angleterre est plus incertain que les orages. Même si, les jours précédents, la presse cédait au charme du jeu de mots : « Juin sera-t-il la fin de May ? », tous les sondages donnaient à penser que sa majorité serait renforcée en raison de l'impopularité de Corbyn. Le soir du 8 juin 2017, j'avais été conviée à un dîner puis à une soirée électorale chez Roland Rudd, frère de la ministre de l'Intérieur, fondateur et directeur de l'entreprise de relations publiques Finsbury, avec des représentants ou experts de tous les partis. Invités à exprimer leurs pronostics lors d'un tour de table, ils s'accordaient à penser que le résultat serait entre quarante et cent sièges supplémentaires pour le Parti conservateur. À 22 heures ce fut la débâcle. Stupéfaction quand, sur le grand écran, s'est affiché le résultat qui mettait le gouvernement en minorité et a condamné Theresa May à conclure un accord de soutien sans participation avec le petit parti irlandais d'extrême droite, le DUP, dont elle est devenue l'otage. Le plus étonnant pour moi, ce soir-là, était que les participants de tous bords et même les conservateurs présents ont affiché leur satisfaction. Certains ont même applaudi. Je me souviens du commentaire de Roland Rudd hochant la tête devant l'écran : « Il est clair qu'il n'y a pas de majorité dans ce Parlement pour le Brexit. » Cela a constitué un tournant et cette constatation s'est vérifiée dans les mois qui ont suivi. En réalité, des jeunes des milieux du théâtre et du cinéma m'avaient indiqué avant ces élections qu'ils suivraient les recommandations de « vote tactique » (*smart vote*) contre le Brexit. Beaucoup de personnes hostiles au Brexit ont dû procéder ainsi.

Tirant les conclusions, Theresa May a aussitôt viré ses deux conseillers impopulaires, mais protecteurs, jugés responsables de cette tactique malavisée. Elle a dès lors complètement perdu son autorité sur les membres du cabinet. L'on a commencé à parler d'elle comme d'un « Premier ministre intérimaire ». L'ancien chancelier de l'Échiquier, et désormais rédacteur en chef de l'influent *Evening Standard*, George Osborne, qui lui tient grief de ne pas lui avoir offert le portefeuille de ministre des Affaires étrangères, l'a peu charitablement qualifiée de « morte vivante » (*dead woman walking*), lors de l'émission phare d'Andrew Marr en affirmant que la seule question posée était combien de temps elle tiendrait dans le couloir de la mort... Elle a tenu deux ans.

La conférence du Parti conservateur qui a suivi en octobre 2017 a constitué un contraste saisissant avec la conférence de l'automne précédent. Robe sombre cette fois-ci, Theresa May a dû présenter d'emblée des excuses en endossant la responsabilité de l'échec aux élections générales du mois de juin précédent. Et, comble de malchance : souvent étouffée par une toux tenace qui l'empêchait de prononcer son discours, elle a pris un formulaire dit « P45 » de licenciement qu'un humoriste lui tendait au nom de Boris Johnson, tandis que les lettres aimantées du slogan de la conférence, « *Building a country that works for everyone* » (Construire un pays pour tous), se détachaient une à une du tableau placé derrière elle. Un mauvais alignement des planètes au moment où elle évoquait, comme un refrain, sur le modèle américain, la réalisation du rêve britannique (*British dream*) dont il est au demeurant douteux qu'il puisse être incarné pour les plus jeunes par le Brexit. Par comparaison avec la conférence de l'année précédente, qui démontre avec le recul combien les conservateurs s'étaient bercés d'illusions, les applaudissements étaient cette fois-ci plus de compassion et d'encouragement à poursuivre en dépit de ses quintes de toux. Il ne restera de ce discours long de plus d'une heure que ces incidents malheureux. Sa prestation a été considérée comme un fiasco.

Les Brexiters ont commencé à se retourner contre elle et à la critiquer pour son incompétence à réaliser la sortie de l'UE. De nouveau, elle a été présentée comme étant sur le départ. Elle s'est pourtant par la suite montrée remarquablement résiliente et a tenu au total trois ans malgré les critiques et avanies subies, tombant de Charybde en Scylla. N'étant pas dépourvue d'humour, après que les moqueries sur ses danses maladroites devant des enfants lors d'un voyage en Afrique avaient fait le tour des réseaux sociaux, elle est arrivée à la conférence de l'année suivante en 2018 en esquissant des pas de danse sur la chanson d'Abba « *Dancing Queen* ».

Convaincue de devoir mener à bien à tout prix la mission qui lui avait été confiée, le Brexit, après la griserie et les illusions des premiers mois, et quand les discussions ont vraiment débuté avec les vingt-sept, après une période qualifiée de « drôle de guerre » où chaque camp, sans contact l'un avec l'autre, préparait la négociation dans le plus grand secret, Theresa May a pris la mesure des difficultés. Elle a sûrement dans un premier temps pensé rééditer l'exercice réussi de « *opt back in* » de 2016, fondé sur ce qu'on appelle le « *cherry picking* » (littéralement : cueillette des cerises) en choisissant secteur par secteur ce que le gouvernement britannique souhaitait conserver. Ministre de l'Intérieur, elle avait, en effet, dénoncé (dans le jargon bruxellois « *opt out* ») en bloc les quelque cent trente lois relevant du domaine de la justice et des affaires intérieures européennes, puis négocié âprement avec le Parlement la réintroduction des seules dispositions, trente-cinq au total, qui présentaient un intérêt pour le Royaume-Uni, y compris le mandat d'arrêt européen. L'on se souvient des fuites dans la presse allemande sur un dîner à Downing Street en avril 2017 avec le président de la Commission européenne, Jean-Claude Juncker, sidéré de constater qu'elle vivait dans une autre galaxie.

Theresa May a fini par se montrer plus ouverte à la discussion sur ses anciennes lignes rouges (période transitoire de deux ans, paiement des sommes dues au budget européen, solution provisoire sur la frontière irlandaise). Je pense que, tout en se sentant contrainte d'affirmer qu'une absence d'accord était préférable à un mauvais accord, elle avait acquis une vision raisonnable et a sincèrement souhaité un accord de compromis pour obtenir un départ ordonné de l'Union européenne.

Theresa May avait décidé de se lancer dans une épreuve de force l'été 2018 en organisant une retraite avec les membres de son cabinet dans sa résidence de campagne de Chequers pour élaborer enfin un livre blanc sur les relations futures du Royaume-Uni avec l'Union européenne. Mais, comme on l'a vu dans le chapitre précédent, ce fut une journée de dupes puisque Boris Johnson et David Davies ont démissionné le lendemain, accroissant davantage la confusion et le sentiment que la saga n'en finirait jamais.

Theresa May a pris la négociation en mains et s'est rendue elle-même à Bruxelles à plusieurs reprises. Elle a aussi fait la tournée des principales capitales. Elle a fini par aboutir sans bruit à un accord de retrait, un document de cinq cent soixante-dix-neuf pages adopté par le Conseil européen du 25 novembre 2018. Fin de partie ? Non, car ce texte devait encore être approuvé par le Parlement de Westminster et par le Parlement européen. À la Chambre des communes, ce furent trois essais manqués : un rejet massif le 15 janvier, puis le 12 mars et enfin le 29 mars (qui aurait dû être le jour de la sortie effective de l'UE), malgré une modification à la marge de la déclaration politique, le négociateur en chef Michel Barnier faisant savoir que le texte de l'accord lui-même n'était pas modifiable. Le président de

la Chambre des communes, s'appuyant sur un règlement datant d'Henry VIII a empêché une quatrième
tentative qui virait à l'entêtement et qui lui a valu des
commentaires sarcastiques se référant à la définition
de la folie par Einstein : faire plusieurs fois la même
chose en en attendant un résultat différent. Une caricature du *Times* illustrait parfaitement l'impasse : Theresa
May en athlète couverte de bandages ensanglantés à la
tête et aux genoux s'apprêtait une énième fois à ten-
ter de franchir la barre, laquelle était accolée à un mur
de béton sur lequel elle se fracassait inéluctablement.

Ces échecs successifs montrent bien les contradictions du Brexit. L'accord a été rejeté aussi bien par le
DUP et les partisans les plus radicaux du Brexit que par
les partisans du maintien d'un lien étroit avec l'Union
européenne. La réalité est qu'il ne peut pas y avoir de
bon accord car les Britanniques avaient déjà le meilleur accord possible en étant membres de l'Union
européenne et en bénéficiant d'un grand nombre
d'exemptions. Les anciens Premiers ministres John
Major et Tony Blair qui ont toujours incarné la voix de
la raison, l'ont bien fait valoir. Certains Brexiters se sont
opposés à ce texte qui laissait au Royaume-Uni moins de
liberté et de marge de manœuvre qu'en étant membre
plein. Il ne s'agissait pas que de la clause de sauvegarde
(*backstop*) exigée par l'Union européenne pour éviter
que la frontière entre les deux Irlande ne devienne un
lieu de contrebande et par Dublin pour éviter qu'une
frontière dure ne ravive les conflits et ne remette en
cause la paix acquise grâce à l'accord du Vendredi saint.
Cette clause était l'objet de tous les ressentiments chez

les Brexiters car elle risquait de maintenir l'Irlande du Nord et l'ensemble du Royaume-Uni dans le marché unique tant qu'un accord définitif ne serait pas conclu. Encore une chose élémentaire que les Brexiters ont eu du mal à comprendre : même si le Royaume-Uni est un pays important, c'est aux membres de l'Union et donc à Dublin que la solidarité était due.

Le Royaume-Uni, qui a dû demander un premier puis, plus tard, un deuxième délai a donc été contraint de participer aux élections européennes du mois de mai 2019, pour la plus grande humiliation des conservateurs arrivés au cinquième rang avec seulement quatre sièges et pour la plus grande joie de Nigel Farage dont la formation nouvellement créée et intitulée « Brexit Party » a remporté la mise avec trente et un pour cent des suffrages et vingt-neuf députés qui ont joué la provocation en tournant le dos lors de la séance de rentrée alors que retentissait l'hymne européen, *L'Hymne à la joie* de Beethoven. Mais les seize députés LibDem arrivés en deuxième position avec près de 20 % des suffrages ont également fait une entrée remarquée au Parlement européen en arborant leurs tee-shirts jaunes marqués du mot d'ordre insolite de leur campagne : « *Bollocks to Brexit* » (« Merde au Brexit »), entendant ainsi témoigner qu'il y avait des Britanniques qui se sentaient européens et voulaient rester dans l'UE.

Pendant ce temps-là à Londres, Theresa May, en désespoir de cause, a proposé une négociation sans suite avec l'opposition puis a laissé les députés exprimer leurs préférences. Sept options identifiées par le speaker de la Chambre des communes ont recueilli sept

non. « *No, no, no, no, no, no, no!* » a titré en une un journal britannique. Le moment de la convocation par le
comité 1922 qui lui avait donné une dernière chance
est arrivé. Elle a été informée qu'elle n'avait plus la
confiance du parti et a été sommée de démissionner.
Elle l'a fait le 24 mai, avec effet au 7 juin 2019, la mort
dans l'âme, au bord des larmes, exprimant le regret
de ne pas avoir accompli sa mission, *Brexit means Brexit,*
qu'elle avait elle-même qualifiée de sacrée.

Prisonnière du petit parti irlandais orangiste et des
europhobes fanatiques de son parti regroupés sous le
nom de ERG (European Research Group) et présidé
par le hautain et caricatural etonien et oxfordien Jacob
Rees-Mogg, surnommé l'« honorable représentant du
XVIIIe siècle[1] », risée des réseaux sociaux, elle n'a pas eu
le loisir d'accomplir autre chose en tant que Première
ministre. Le Brexit l'a entièrement dévorée comme il
a dévoré le pays, monomaniaque depuis plus de trois
ans et qui a pratiquement disparu de la scène internationale. Peut-être avec plus d'imagination et de créativité aurait-elle pu expliquer que le *no deal* serait très
dommageable pour le pays et que l'accord de retrait
négocié de bonne foi était le seul réaliste, tout en le
soumettant au peuple pour confirmation assorti en cas
de rejet de l'option de sortie sans accord et de maintien dans l'Union européenne. C'était le geste le plus

---

1. Jacob Rees-Mogg avait exigé que le suffixe Esq (pour « esquire »
de l'ancien français « escuyer ») soit attribué à tous les hommes
n'ayant pas de titre de noblesse. Larry the cat, le chasseur de souris
en chef de Downing Street s'était empressé d'ajouter Esq à son nom
sur son compte Twitter...

démocratique dans la mesure où il ne se serait pas simplement agi d'un second référendum, qui semblait remettre en cause le premier. C'était aussi sans doute le moment le plus opportun. D'ailleurs Nigel Farage, en créant à ce moment-là son nouveau parti Brexit, s'apprêtait à retourner au combat sur tous les fronts et en se léchant les babines : référendum, élections générales et élections européennes. Je me demande du reste s'il ne fait pas partie des personnes qui préfèrent voyager qu'arriver au port. D'autres Brexiters radicaux, en revanche, prenant connaissance de sondages qui donnaient la majorité au Remain en cas de second référendum, paniquaient sachant que le temps ne jouait pas en leur faveur. Ils se sont montrés particulièrement agressifs, craignant que le Brexit ne leur échappe. L'extrême droite est descendue dans la rue.

Les Britanniques faisant toujours preuve d'humour ont ressorti le mot d'ordre appelant à la résilience en 1940 : « *Keep calm and carry on* », inscrit sur de nombreux panneaux, mugs ou tee-shirts, assortis, d'une sentence parallèle : « *Time to panic !* »

Trois ans après, les négociations ont permis un compromis mais pas d'acceptation par ce Parlement dont les divisions étaient tout simplement le reflet de celles du pays. Il ne s'agissait pas, en dépit des accusations, de mauvaise foi mais de bonne guerre, des Brexiters, d'une résistance d'une élite parlementaire opposée à la volonté du peuple. Il ne s'agissait pas non plus de gens qui ne savent pas ce qu'ils veulent, comme on a pu l'entendre dans les pays européens avec la caricature du chat qui miaule pour qu'on lui ouvre la porte et qui, une fois la porte ouverte, ne veut plus sortir. Les oppositions à « l'accord de Theresa May » comme ils ont fini par l'appeler, venaient des deux bords : extrémistes d'un côté, opposés au maintien de tout lien avec l'Union européenne et à la clause de sauvegarde ; et, de l'autre, ceux qui, courageusement, au risque de la *deselection* ou de l'expulsion, ont privilégié les intérêts du pays sur ceux de leur parti. Ils ont relevé les déficiences du compromis pour le Royaume-Uni et demandé au moins en contrepartie que la parole revienne au peuple sur ce texte. En tout premier, le doyen du Parlement, Ken Clarke, qui est le seul conservateur à avoir voté en conscience dès le début contre la saisine de l'article 50 qui déclenchait la procédure de divorce avec l'Union européenne, déclarant privilégier les intérêts de son pays sur ceux de son parti. Les autres, tétanisés par les accusations de ne pas respecter les résultats du référendum et de trahir la prétendue volonté du peuple, ont réagi après la présentation de cet accord.

Trop tard car le processus était engagé. Ils ont subi des critiques mais aussi des insultes et des menaces de mort qui les ont obligés à demander la protection de la police. Il s'agit de Dominic Grieve, le remarquable ancien procureur général, aux arguments affûtés, et d'Anna Soubry, qu'on pourrait qualifier en France de « grande gueule ». À cela, s'ajoutait nombre de centristes du Parti travailliste, malgré un chef clairement anti-européen, et bien sûr du Parti national écossais et des LibDem, les seuls authentiquement pro-européens, au point de se prononcer – sans doute à tort puisqu'ils ont fait un lamentable score aux élections – pour la révocation de l'article 50.

Au tour du successeur de connaître la malédiction du Brexit, mais lui l'avait voulu !

La procédure habituelle de désignation du Premier ministre a été lancée par le comité 1922. Six candidats se sont déclarés, et après l'organisation de débats télévisés, il a été procédé à l'élimination successive de ceux qui avaient recueilli le moins de voix, dont l'original Rory Steward, ministre du Développement, figure et silhouette adolescentes, ancien militaire et grand marcheur qui a parcouru l'Afghanistan à pied. Il était le seul clairement hostile à une sortie sans accord et a suscité un temps la sympathie. Deux candidats sont finalement restés en lice mais la partie était jouée et Boris Johnson l'a emporté haut la main contre le modéré et courtois ministre des Affaires étrangères, Jeremy Hunt, ancien Remainer, qui avait dû se déclarer par ambition politique favorable à un *no deal*. Il a tout de même fini par quitter la politique en refusant d'entrer dans le cabinet Johnson.

La réalisation tant attendue de ses ambitions est arrivée : Boris Johnson est entré le 23 juillet 2019 au numéro 10 de Downing Street avec sa nouvelle compagne, Carrie Symonds, et son chien Dylin. Conseillé par son Raspoutine émacié et sardonique, Dominic Cummings, stratège victorieux de la campagne du « Out », et entouré de Brexiters, outranciers à l'exception d'Amber Rudd et de son frère Jo, qui ont d'ailleurs démissionné quelques semaines plus tard, il a choisi le passage en force. Le Brexit coûte que coûte (*do or die*) en passant sur le corps du Parlement, qu'il entendait museler pendant cinq semaines, en mentant à la reine, sous un prétexte qui ne s'embarrassait même pas de crédibilité : prétendue nécessité pour commencer une nouvelle législature alors qu'une semaine aurait suffi. Au pays de l'*habeas corpus* et de la *Magna Carta*, dont le 800ᵉ anniversaire a été célébré avec fastes quatre ans auparavant, au pays qui se vante d'être le précurseur de l'état de droit et de la démocratie, le Premier ministre n'a pas hésité à laisser entendre qu'il ne respecterait pas la loi, et à dire qu'il « préférait être mort au fond d'un fossé » plutôt que de ne pas sortir de l'Union européenne à la nouvelle date sacrée, la troisième, du 31 octobre 2019, jour d'Halloween. Il n'a pas hésité non plus à contester l'autorité de la chose jugée en s'en prenant aux plus hautes instances, notamment la Cour suprême, qui a jugé à l'unanimité que la suspension du Parlement était illégale. Il était pour le moins étonnant de l'entendre dire qu'il n'était pas d'accord avec ce jugement, qu'il a qualifié de « capitulard ». Les Brexiters se sont d'ailleurs empressés de décréter qu'il faudrait supprimer la Cour suprême... Mais la séance de la Chambre des communes la plus choquante a été celle où Boris Johnson a qualifié de « fadaises » l'inquiétude exprimée par une députée quant à une réédition d'attaques comme celle dont avait été victime Jo Cox en faisant valoir que les propos de Johnson sur les traîtres et les capitulards étaient élevés en étendard par ceux qui s'en prenaient violemment aux membres du Parlement, en particulier les femmes.

Le 14 octobre, jour du discours du trône, discours de politique générale entièrement rédigé par le Premier ministre, marquant l'ouverture de la session parlementaire, la reine dans un décorum plus décalé que jamais a lu sur un ton monocorde le discours dont chaque phrase commence rituellement par « Mon gouvernement » et précisant que ledit gouvernement a toujours souhaité une sortie de l'Union européenne au 31 octobre… L'hebdomadaire satirique *Private Eye* a ressorti à cette occasion sa une datant de quelques décennies; une photo de la reine prononçant le discours du trône avec une bulle disant : « J'espère que vous êtes bien conscients que ce n'est pas moi qui ai écrit ces foutaises (« *crap* »). Si quelqu'un est finalement sorti le 31 octobre, c'est John Bercow, le speaker de la Chambre des communes, qui a tenu avec truculence le rôle du personnage principal de la pièce présentée tous les soirs au théâtre de Westminster, victime de la vengeance de Boris Johnson et des Brexiters qui l'accusaient de mener la fronde contre le retrait de l'Union européenne. Une caricature du magazine *Private Eye* qui a eu du succès sur les réseaux sociaux a montré une photo d'un fossé vide surmonté d'une pancarte affichant : « Place réservée pour Boris Johnson ».

Entre-temps, Boris Johnson a réussi après un marathon de discussions à signer avec Jean-Claude Juncker le 17 octobre 2019 un accord de retrait, la Commission et les vingt-sept excédés par ce dossier impossible à boucler souhaitaient vraiment passer à autre chose. C'est la seconde option qui a été retenue pour le principal dossier d'achoppement, l'Irlande : non plus la

frontière terrestre entre les deux Irlande mais la frontière maritime entre le Royaume-Uni et l'Irlande du
Nord, à charge pour l'administration britannique
d'exercer les contrôles. La méfiance vis-à-vis de Boris
Johnson a cependant conduit les députés, réunis pour
un « *super Saturday* » – en référence à la dernière fois
où la Chambre des communes avait siégé un samedi,
ce qui remonte à la guerre des Malouines –, à exiger
l'adoption des mesures d'application avant de voter ce
texte pendant que des centaines de milliers de personnes venues de toute l'Angleterre, y compris des
terres brexiteuses du Nord-Est en 2016, se dirigeaient
vers Westminster, en arborant des drapeaux européens
pour réclamer un second référendum. Boris Johnson
a été contraint de repousser une nouvelle fois la date
de sortie de trois mois mais, toujours aussi manipula-
teur, il a envoyé au président du Conseil européen des
missives contradictoires, la première non signée pour
faire semblant de se conformer à la loi demandant un
report et une autre signée de lui-même accompagnée
d'une autre de son représentant permanent pour dire
qu'il ne souhaitait pas de report. L'Union européenne
a décidé d'ignorer cet imbroglio juridique et fait droit
à la demande de report.

Toutes les initiatives prises par Boris Johnson, qui
semblait alors être poursuivi par la malédiction du
Brexit, ont échoué à la Chambre des communes.
Imperturbable, il a perdu toutes les batailles électorales
mais pas la guerre. Son but ultime était d'obtenir la
tenue d'élections générales, afin d'y recevoir l'onction
populaire qui a manqué à Theresa May qui s'en est

souciée trop tard, et de rester au pouvoir espère-t-il pour les dix prochaines années. Élections qui se sont tenues le 12 décembre 2019 et qu'il était assuré de remporter contre Corbyn devenu un repoussoir y compris dans son propre parti, et qu'il a gagnées haut la main, faisant même la reconquête de l'électorat du Nord, le « mur rouge », traditionnellement acquis au Labour. Là encore, les recettes de la démagogie populiste ont bien fonctionné. Et le nouveau slogan de la campagne, percutant dans sa simplicité, choisi par Dominic Cummings, « *Get Brexit done* », n'autorise pas les remises en cause.

Un chapitre du Brexit s'est clos ce jour-là, celui de trois ans et demi de divisions, de dogmatismes, d'incohérences, et surtout d'indécisions, vu de Bruxelles. Du jour au lendemain, le sujet qui avait dominé toutes les discussions politiques, économiques ou sociales a plus ou moins disparu, même si restaient à négocier les termes de la future relation avec l'Union européenne, et qu'on allait sûrement reparler du Brexit !

Chapitre 7

Adieu à l'Union européenne. Bienvenue dans le monde post-Covid, post-Brexit

Le 31 janvier 2020, presque quatre ans, soit 1 318 jours et une heure selon le décompte précis fait par le *London Times*, après le référendum donnant la victoire au Brexit, et après plusieurs reports, le Royaume-Uni a quitté formellement l'Union européenne. Boris Johnson a célébré cette nuit faste avec des collaborateurs et des partisans du Brexit à Downing Street, où n'ont été servis que des mets bien anglais : filets d'agneau sur toasts, Yorkshire pouding accompagnés d'un vin anglais pétillant. Boris Johnson avait organisé auparavant, symboliquement, une réunion du cabinet à Sunderland, cette ville du Nord-Est où sont installées les usines Nissan et qui avait été annonciatrice du Brexit. Les Brexiters qui ont toujours redouté un second référendum qui risquait de les priver de leur victoire ont jubilé. Sur la place de Westminster à l'approche des 23 heures fatidiques, les partisans du Brexit ont afflué,

levant haut les drapeaux de l'Union Jack et de l'Angleterre, la croix rouge de saint George sur fond blanc que
l'on ne voit généralement que lors des manifestations
sportives, pendant que, à Bruxelles, à minuit, le drapeau britannique était retiré sans cérémonie.

Premier départ d'un État membre, triste moment.
Quarante-sept ans de vie commune prenaient ainsi
fin. Le divorce était prononcé mais la séparation totale
n'aurait lieu qu'à l'issue d'une période de transition
qui devait s'achever le 31 décembre 2020. Cette période
devait être mise à profit pour s'accorder sur les relations futures avec l'Union européenne. Boris Johnson
avait finalement obtenu ce qu'il voulait : le poste de
Premier ministre et la réalisation du Brexit. Son unique
obsession est d'en démontrer l'extraordinaire succès
annoncé à coups d'hyperboles depuis quatre ans.

Au milieu de cette euphorie, qui coïncidait de
surcroît avec la perspective d'être de nouveau père,
Boris Johnson, après des vacances de Noël dans l'île
Moustique, l'île des milliardaires, a pris, en février,
deux semaines de vacances à Chevening, la résidence
de campagne du ministre des Affaires étrangères qu'il
avait occupée naguère. Dans son esprit, la Chine était
bien loin, avec ses pratiques alimentaires étranges et
ses méthodes totalitaires. Le système hospitalier italien était naturellement déficient, car c'était un pays du
Sud, et la France ne valait guère mieux. Rien à voir bien
sûr avec le royaume de Sa Glorieuse Majesté, le pays
du Brexit et du NHS. Ce biais cognitif, qui a retardé
les mesures de lutte contre la pandémie dans d'autres
pays, a pris à Londres la forme de l'exceptionnalisme

britannique. Il a fallu longtemps pour comprendre que le « cygne noir » était arrivé sur l'île et allait causer des dégâts considérables. C'est généralement le Premier ministre qui préside les réunions de crise intitulées Cobra, or les Britanniques ont découvert plus tard qu'il n'était pas présent aux cinq premières consacrées à la crise sanitaire. Obnubilé par le Brexit, il a réagi par le déni, avec désinvolture, et bravache en encourageant les Britanniques à exercer « leur droit sacré » d'aller dans les pubs, soutenu en cela par son père Stanley âgé de soixante-dix-neuf ans.

Quel que soit le retard engendré par les réticences des autorités locales de Wuhan et du Hubei à donner de mauvaises nouvelles à l'empereur, et en dépit de la tentative de Pékin de retarder la déclaration de l'OMS sur la transmission de l'animal à l'homme, les Chinois avaient donné dès le 11 janvier toutes les informations relatives au séquençage du génome du virus et l'OMS avait déclaré le 11 mars l'état de pandémie. Deux jours plus tard, débutait cependant le grand festival annuel de courses de chevaux de Cheltenham, qui a réuni plus de 250 000 personnes et a contribué à la propagation du virus. Le confinement n'a été décidé au Royaume-Uni que le 23 mars après qu'a été abandonnée l'idée d'immunité collective, dénoncée par l'étude de l'Imperial College. Entre-temps, Boris Johnson se vantait de serrer les mains de tout le monde, y compris dans les hôpitaux accueillant des malades du Covid. Et puis, il a annoncé le 27 mars par une vidéo dans laquelle il avait l'air vraiment mal en point qu'il avait contracté le Covid-19 sous une forme bénigne, jusqu'à ce que soit annoncé le dimanche suivant que ses médecins avaient décidé de le transférer en soins intensifs à l'hôpital. Ce fut le flottement pendant ces quelques jours d'incertitude où les médias se demandaient qui gouvernait le pays.

La seule boussole était la reine, qui a redonné espoir dans un discours sobre de moins de quatre minutes. Obsédé par la réalisation du Brexit, Boris Johnson n'avait pas choisi de nommer à son cabinet « *the best and the brightest* » mais les plus idéologues. Cela a été fortement ressenti pendant son hospitalisation. Il avait désigné comme remplaçant sur les mesures urgentes le ministre des Affaires étrangères, Dominic Rabb, dont il était sûr qu'il n'avait pas l'envergure d'un Premier ministre. Le débat sur la nécessité d'une Constitution écrite a resurgi.

Le soulagement a été grand de voir revenir aux affaires celui qui était considéré par beaucoup comme un battant, même si des personnes qui ont souffert de maladies graves, de cancers notamment, ont rappelé sur les réseaux sociaux que l'être humain n'était pas dans ces circonstances le combattant mais le champ de bataille. Toujours est-il qu'il a heureusement survécu et a remercié les soignants, étrangers, qui lui avaient permis de tomber du bon côté. Ses médecins se demandaient déjà comment annoncer sa mort à la nation, a-t-il confié au *Sun,* un scénario semblable à celui de la mort de Staline… Boris Johnson est parti se reposer quelques semaines, puis est revenu à Downing Street et au Parlement, quelque peu changé. Il accusait la fatigue mais surtout il avait perdu son principal atout, car il ne pouvait plus se tirer par une pirouette d'un mauvais cas en faisant rire son auditoire, ce qui, d'après son bienveillant biographe Andrew Gimson[1], a été sa tactique systématique depuis ses études à Eton.

Cela est apparu clairement lors des séances hebdomadaires des questions au Premier ministre à la Chambre des communes, où il n'avait plus en face de lui la tête à claques de Jeremy Corbyn mais Keir Starmer, un avocat conseiller de la reine (un statut honorifique conféré à des juristes émérites), certes modéré mais extrêmement sérieux et incisif, élu sans bruit à la tête du Parti travailliste en avril 2020 pendant le confinement. Il avait une excellente réputation au sein du parti, où on lui prédisait un avenir prometteur. Je l'avais rencontré lorsqu'il était secrétaire d'État au Brexit dans le cabinet fantôme. Pour la première fois depuis cinq ans il y avait au Parlement une véritable opposition qui joue son rôle et dont le dirigeant n'était pas inéligible comme son prédécesseur Jeremy Corbyn. Sa popularité croît et a dépassé celle de Boris Johnson pendant la crise sanitaire. Les réponses bafouillantes et imprécises du Premier ministre n'en sont que plus notables. Sa sortie presque miraculeuse de l'hôpital lui a valu un temps la sympathie alors que sa gestion de la crise sanitaire était jugée comme une des pires au monde avec celle de Donald Trump et de Jair Bolsonaro. Ce qui fait que le Royaume-Uni a été l'un des pays européens les plus endeuillés (plus de soixante-dix mille décès à la fin de l'année 2020). Manque de tests, de masques, de gants,

—————

1. Andrew Gimson, *Boris*, Simon & Schuster, 2016.

de blouses et de respirateurs. Mensonges, petits arrangements avec la vérité jusqu'à compter les gants non par paires mais par unités.

La sympathie s'est retournée et la colère lui a fait place d'autant que de nombreux membres du personnel soignant sont décédés faute de protection adéquate. La fureur a atteint son apogée lorsque l'âme damnée de Boris Johnson, Dominic Cummings, conseiller spécial aux pouvoirs exorbitants même vis-à-vis des ministres du cabinet, enfreignant les instructions qu'il avait lui-même édictées, a quitté Londres alors qu'il était malade du Covid pour emmener son fils chez ses parents à Durham, et a ensuite emmené sa femme également malade pour fêter l'anniversaire de celle-ci dans un château. Il a fourni l'explication la plus inepte : il voulait vérifier que sa vue était assez bonne pour pouvoir conduire jusqu'à Londres... la colère s'est exprimée dans son propre camp et des appels à la démission ont été lancés. Les plaisanteries ont fusé avec une caricature de BoJo : « Je ne peux pas virer Dominic Cummings tant qu'il ne m'en aura pas donné l'instruction. » Cela traduisait une forte dépendance à celui grâce à qui avait été gagnée la bataille du Brexit et celle des élections de décembre 2019 qui témoignait d'un véritable esprit de stratège. Boris Johnson savait que c'était Dominic Cummings qui l'avait fait roi ou, en l'occurrence, Premier ministre. Dark Vador a cependant dû quitter Downing Street à la suite d'un psychodrame peu après l'élection de Joe Biden, semblant ainsi ouvrir la voie à une position moins rigide sur le Brexit.

Les conditions du déconfinement ont été floues et refusées par l'Écosse, le pays de Galles et l'Irlande du Nord. La santé est effectivement une compétence dévolue. La Première ministre écossaise Nicola Sturgeon, personnalité exceptionnelle, a d'ailleurs annoncé son intention de fermer la frontière avec l'Angleterre, les nations ont adopté leur propre politique dans la gestion de la crise. Avant-goût des querelles après la restitution complète des compétences de l'Union européenne.

Parallèlement, le temps courait pour les négociations, censées aboutir le 31 décembre 2020. Délai déjà extrêmement court en temps normal. En période de confinement, cela paraissait mission impossible. Pour commencer, les deux négociateurs, Michel Barnier et David Frost, ont été testés positifs au Covid. Les discussions qui ont repris par visioconférence n'ont pas permis de progresser. Les Britanniques se sont montrés intransigeants sur tous les points et sont même revenus sur l'accord donné en octobre 2019 par Boris Johnson sur la déclaration politique qui trace la voie à suivre. Ce dernier a même provoqué l'Union européenne en présentant au Parlement en septembre 2020 un projet de loi sur le marché intérieur en violation de l'accord qu'il avait signé lui-même. Il a ensuite joué la montre en espérant forcer la main aux Européens à la dernière minute. Son objectif était plus politique qu'économique. Il s'agissait à ses yeux d'affirmer la souveraineté du Royaume-Uni, ce qui n'est pas la raison d'être d'un accord de libre échange visant à assurer la suppression des quotas et des droits de douane. Cette dimension idéologique explique, s'il ne la justifie pas, sa menace quelques jours avant l'issue des négociations achoppant sur les droits de pêche d'envoyer les navires de la marine royale contre les chalutiers, principalement français...

C'était le retour de la logique, illusoire, qui a long-temps prévalu selon laquelle les Européens auraient plus besoin du Royaume-Uni que le Royaume-Uni des Européens. L'idée de Boris Johnson était surtout de négocier de façon bilatérale avec les grands parte-naires, Emmanuel Macron et surtout Angela Merkel, présidente de l'Union européenne pendant le dernier semestre 2020, considérant que la négociation rele-vait des chefs d'État et de gouvernement et que seul le « *nitty gritty* » selon la formule britannique imagée, les détails techniques donc, relevaient de l'équipe de négo-ciateurs. Mais les détails sont fondamentaux : contrôle de la frontière, droits de pêche, règles de concurrence, respect des normes environnementales et sociales, etc. Boris Johnson a néanmoins fait connaître son refus catégorique de proroger d'un ou deux ans la période de transition, comme cela a été proposé par l'Union européenne. Cette position n'était pas illogique dès lors que le Royaume-Uni, qui a quitté juridiquement l'Union européenne, était toujours tenu par la législa-tion européenne sans avoir voix au chapitre puisqu'il ne participait plus aux mécanismes de décision. En outre, Londres n'entendait pas mettre au pot du subs-tantiel plan d'assistance de l'Union européenne destiné aux pays les plus touchés par la pandémie. L'option du Brexit dur était donc revenue en force.

Las d'un côté comme de l'autre, atteints par cette « *Brexit fatigue* » (encore un mot français...), le

Royaume-Uni comme les vingt-sept avaient achevé leurs préparatifs à cet effet.

L'élection de Joe Biden semble changer la donne. Après sa victoire, le moment de la nécessaire « reconstruction » des relations internationales approche. Malgré les espoirs de certains pays comme l'Allemagne qui ont souffert plus que d'autres de la cassure transatlantique, ce ne sera cependant pas un simple retour au *statu quo ante*. Un apparent *statu quo* au demeurant car l'évolution vers l'isolationnisme, le retrait des affaires du monde, le protectionnisme et la priorité accordée à la zone Pacifique au détriment du continent européen qui n'est plus perçu comme un enjeu, avait déjà commencé sous la présidence de Barack Obama. Certes, le 46ᵉ président des États-Unis aura à cœur de réinvestir dans le multilatéral (retour à l'accord de Paris sur le climat, à l'accord nucléaire sur l'Iran, retour dans les instances de l'OMS et peut-être de l'UNESCO, réinvestissement dans l'OTAN) mais le Moyen-Orient a cessé d'être une zone névralgique pour les États-Unis devenus exportateurs de pétrole alors que le jihadisme menace les pays européens. Sur ce point, nos intérêts objectifs divergeront. En outre, le trumpisme est toujours vivace, soutenu par plus de soixante-quatorze millions d'électeurs dans un pays coupé en deux. Même si Joe Biden aura le souci de renouer avec les alliés de l'Amérique maltraités par Donald Trump, conscient qu'une diplomatie est plus forte avec des alliés, l'alliance risque d'être de nouveau asymétrique. À l'Europe de faire prévaloir ses intérêts et de faire comprendre qu'une certaine autonomie ne nuit pas, en dépit des idées reçues, aux intérêts de Washington.

Quid du Royaume-Uni obsédé, tant qu'il était membre de l'UE, par le risque de découplage transatlantique? Londres qui n'aura pas voix au chapitre sur ce point, risque de devoir dans la définition de ses options diplomatiques choisir entre une adhésion pure et simple à la ligne de Washington et un rapprochement avec l'Union européenne compte tenu de la proximité des préoccupations relevant de la géographie.

Bruxelles et Londres, à la toute fin de l'année 2020, ont accouché dans la douleur des grandes lignes directrices de la relation. Le travail est pourtant loin d'être achevé. L'accord de 1246 pages convoyé à Londres par la RAF laisse de côté des sujets importants: politique étrangère et de sécurité, relations financières...). Il s'agissait pour la première fois de négocier un accord qui organisait non la convergence mais la divergence avec l'Union européenne. C'est donc compte tenu des délais restreints un accord a minima. Boris Johnson a une fois de plus privilégié le verbe en exaltant le retour de la souveraineté britannique – comme si la France, l'Allemagne et l'Italie n'étaient pas des nations souveraines... La limitation des droits de pêche européens a été jugée plus importante pour son caractère symbolique même si ce secteur d'activité ne représente que 0,01 % du PIB britannique alors que la City oubliée en représente 7 %. Les services qui comptent pour 80 % des exportations du Royaume-Uni ne sont pas couverts. Enfin, la participation au programme Erasmus très prisé des jeunes a été abandonnée. Le ressentiment et l'amertume du divorce une fois dissipés de part et d'autre, il sera de l'intérêt de Londres comme des capitales européennes de bâtir un partenariat multidimensionnel et mutuellement bénéfique.

Le 31 décembre 2020, à minuit, heure continentale, 23 heures, heure de Greenwich, le Royaume-Uni a coupé au son de Big Ben sorti d'un long silence tous les liens institutionnels avec l'Union européenne. Retour au splendide isolement? Qui, on s'en souvient, s'est achevé en 1904 par l'entente cordiale. En tout cas, il entamera un nouveau chapitre de son histoire et devra gérer l'après sachant qu'il sera confronté à la double turbulence du Brexit et du Covid, qui a déjà abouti à l'adoption d'un nouveau mot, le « *Brovid* ». Les conséquences économiques de la crise sanitaire seront désastreuses avec déjà une baisse sans précédent de 20,4 % du PIB pour le premier mois du confinement en avril 2020. L'OCDE estime que le Royaume-Uni sera le pays le plus touché, annonçant une baisse totale de 11,5 % du PIB en 2020 par rapport à l'année précédente. C'est dix fois le montant de la perte résultant de la crise financière de 2008-2009 qui avait affolé le monde. Cela se traduira par une récession historique.

La tentation sera de dissimuler sous le tapis du Covid la facture du Brexit, loin d'être négligeable puisqu'elle est évaluée par Bloomberg à plus de 200 milliards de livres pour 2020 soit presque autant que la contribution totale du Royaume-Uni à l'Union européenne depuis son adhésion en 1973 (215 milliards de livres), et de s'abriter derrière la crise économique mondiale.

Étrangement, de nombreux idéologues du Brexit mais aussi des citoyens ordinaires affirmaient pendant la campagne que cela leur était égal d'être plus pauvres s'ils étaient indépendants. Nous y sommes. De manière intéressante, même si cela n'a plus aucune conséquence pratique, le sentiment pro-européen a progressé au Royaume-Uni et un sondage réalisé à l'automne 2020 avait fait apparaître une majorité claire de 60 % favorable à l'Union européenne.

Le Royaume-Uni devra établir de nouvelles relations constructives avec l'Europe et au-delà. Les Britanniques se sont parlé à eux-mêmes pendant quatre ans. Il leur faut maintenant parler au monde, et pas seulement parler mais dialoguer, et surtout négocier. L'idée que, une fois délivré des chaînes européennes, le Royaume-Uni pourra enfin rayonner dans le monde entier sous la bannière d'une « *Global Britain* », que rien n'empêchait au demeurant d'exister et de croître dans un cadre européen, risque de se révéler illusoire.

Les tentatives, infructueuses à ce stade, de négociation d'un accord avec l'Australie, un pays affinitaire, qui, même avec la Nouvelle-Zélande, ne représente que 0,01 % de ses échanges alors que l'Union européenne constitue 47 % de son commerce extérieur, traduisent bien cette vision déformée de la réalité. Même l'Inde, avec laquelle les relations sont sensibles compte tenu du passé impérial, réinterprété de façon critique comme en témoigne le livre de Shashi Tharoor *Inglorious Empire*, ne représente qu'une part infime des échanges du Royaume-Uni. Le commerce bilatéral avec la république d'Irlande est plus important que celui avec la

Chine. Les négociations avec Canberra et New Delhi ont, en outre, achoppé sur la question de la délivrance de visas, notamment d'étudiants, refusée par Londres, la limitation de l'immigration ayant été l'un des arguments forts du Brexit. Incidemment, les autorités britanniques, face aux pressions renforcées de Pékin sur Hong Kong et l'adoption d'une loi sur la sécurité du territoire, ont décidé d'octroyer à trois millions de citoyens de cette ville la possibilité de séjourner pendant cinq ans au Royaume-Uni puis d'acquérir la nationalité britannique, alors que Londres avait été très parcimonieux au moment de la rétrocession en 1997. Un accord de libre-échange a été signé triomphalement avec le Japon mais c'est un simple copier-coller de celui que Tokyo a conclu avec l'Union européenne, de même que pour les autres accords que Londres s'est empressé de conclure avec d'autres pays pour ne pas perdre les avantages des traités conclus par l'UE. Tout ça pour ça ?

Il n'empêche que le Royaume-Uni post-Brexit doit réorganiser ses relations avec le monde, notamment avec les deux puissances majeures, États-Unis et Chine, dont la rivalité constituera la donnée centrale des prochaines décennies. Comment le faire en cavalier seul ? Quelles alliances ou partenariats possibles ? Quels risques d'être marginalisé, instrumentalisé ou de faire l'objet d'un chantage de l'un ou l'autre ? Un livre blanc est en cours d'élaboration à Londres sur ce point. Les membres du Commonwealth n'ont jamais partagé les illusions de Londres. Ils ont toujours exprimé leur incrédulité face à cette décision de sortie de l'UE. Une caricature récente du *Herald* de Nouvelle Zélande montrait

un Britannique tout joyeux de quitter l'Union européenne pour retrouver ses nouveaux copains (*chums*)
alors qu'au coin de la rue l'attendaient un panda et
l'Oncle Sam munis chacun d'un gros gourdin…

Ce qui est un affaiblissement pour Londres, à qui
fera défaut l'influence résultant de l'appartenance à un
grand bloc solidaire, a comme corollaire pour l'Union
européenne une amputation en termes d'économie,
actuellement la cinquième mondiale, et de rayonne-
ment international. Cette perte peut toutefois être com-
pensée par la levée du frein britannique à des avancées
en matière de défense ou d'intégration économique.
Ainsi, la décision historique à laquelle a consenti la
chancelière allemande le 18 mai 2020 en autorisant
pour la première fois un emprunt commun sur les marchés de 750 milliards d'euros afin d'aider, sous forme
de subventions ou de prêts, les pays les plus frappés par
la crise renforce le poids de l'Europe. La chute de ce
tabou conforte l'Union européenne, qui est apparue
en mauvaise passe pendant la crise sanitaire.

Cet ambitieux plan de relance a incité Londres à s'ex-
traire de l'UE à la fin de l'année 2020 de crainte de
devoir payer une partie de l'addition. Mais, même si
l'intérêt objectif du Royaume-Uni est une Union européenne partenaire principale en bonne forme économique, le signal d'une véritable relance européenne
soutenue par la chancelière peut rendre la comparaison défavorable pour celui-ci. Il est plus facile de faire
l'après-vente du Brexit si le continent va mal. La troisième demande d'adhésion du Royaume-Uni, qui a
abouti en 1973, est intervenue quand l'économie de

l'Union européenne était florissante tandis que celle du Royaume-Uni était languissante. Pour la France, cette relance et cette nouvelle ambition européennes nous remettent au cœur du jeu et réactivent le moteur franco-allemand longtemps en déshérence. C'est d'autant plus significatif que le tête-à-tête avec l'Allemagne depuis le Brexit avait plutôt mal commencé. Il est vrai que la relation triangulaire aidait souvent à attirer Berlin en s'accordant sur des initiatives avec Londres, et inversement. Une position commune des trois capitales était alors bénéfique pour l'UE mais Londres et Berlin, plus libéraux, pouvaient aussi s'entendre bilatéralement sur des sujets de nature à embarrasser la France.

Le monde n'a pas changé du jour au lendemain avec la crise du Covid mais celle-ci a révélé et mis en lumière certaines réalités et tendances lourdes. Et cela constitue des défis pour les membres de l'Union européenne comme pour le Royaume-Uni, qui courent le risque de marginalisation face à des géants lancés aujourd'hui dans une guerre froide mais totale (*All out war*).

Les espoirs excessifs formés à la veille de l'entrée en fonction de Xi Jinping concernant une démocratisation de la Chine étaient certainement dus au fait que son père était, lui, un véritable modéré à une période où c'était particulièrement dangereux et courageux. Xi Jinping est nationaliste et, comme Donald Trump, voulait « *make China great again* » en réalisant le rêve chinois d'une grande puissance respectée lors du centenaire en 2049 de la fondation de la république populaire de Chine, en passant par l'étape du premier centenaire de la création du Parti communiste chinois, en 2021, qui ferait de la Chine un État de « moyenne prospérité » selon la catégorisation chinoise. Pour Xi Jinping, l'avenir de la Chine s'identifie à celui du Parti communiste, ce qui explique en partie sa décision de rester au pouvoir sans limite de temps. Peut-être par ambition, goût du pouvoir absolu, souci de se protéger des ennemis qu'il s'est créés pendant la campagne de lutte d'une ampleur sans précédent contre la corruption, mais surtout pour mener à bien son projet ambitieux sans devenir un « *lame duck* » (canard boiteux) à la manière de ses homologues occidentaux en période électorale. Son « meilleur ami » Vladimir Vladimirovitch Poutine en a d'ailleurs retenu la leçon, en faisant modifier la Constitution à l'été 2020 pour lui permettre de rester, théoriquement, au pouvoir pendant deux mandats supplémentaires de six ans chacun.

Contrairement à ce qu'on peut dire ou lire, la Chine n'est en rien intéressée par le régime des États avec lesquels elle entretient des relations. Elle est avant tout pragmatique et l'adage rendu célèbre par Deng Xiaoping, « Qu'importe que le chat soit noir ou blanc pourvu qu'il attrape la souris », reste valable en toutes circonstances. Dictatures, démocraties, États faillis ou corrompus, pourvu qu'ils ne soient pas insolvables (et encore car cela lui permet d'acquérir des infrastructures dans les pays endettés), ce n'est pas le problème de Pékin. Aucune intention morale ou prosélyte dans sa politique ou sa diplomatie, qui obéissent avant tout à une logique de puissance. Si le consensus dit de Pékin, formule inventée par les Américains, peut séduire les Africains, c'est par l'exemple du succès de ses recettes économiques et parce que l'intérêt porté par la Chine à l'Afrique, notamment par la réalisation d'infrastructures, a permis le désenclavement et le décollage d'un continent lâché par les Occidentaux. Les ambassadeurs africains à Pékin sont très clairs sur ce point en dépit des critiques qui ont pu être formulées sur les méthodes chinoises, qui ont d'ailleurs été amendées au fil des années, et des réactions racistes que l'on a pu constater à Canton en pleine crise du coronavirus.

Ce que la Chine ne tolère plus depuis qu'elle a accédé au deuxième rang des puissances mondiales est de recevoir des leçons, de surcroît de gouvernements ou de régimes qu'elle juge moins performants sur le plan économique et en crise sur le plan politique. La « diplomatie des masques » visant à présenter la Chine comme une puissance efficace et généreuse a certes été surjouée mais elle a néanmoins été appréciée en Afrique, ou à Rome dans un premier temps alors que la solidarité européenne avait fait une fois de plus défaut à l'Italie. À la fin de la première vague du SARS-CoV-2, la Chine était plus populaire en Italie que l'Allemagne, ce qui a été relevé par Angela Merkel dans le long entretien qu'elle a accordé aux principaux journaux européens en juin 2020. Les propos déplacés des jeunes diplomates « loups guerriers » ultranationalistes critiquant les régimes démocratiques sur les réseaux sociaux des ambassades des pays auprès desquels ils sont accrédités ont suscité des réactions très négatives et alimenté une hostilité inédite vis-à-vis de la Chine. Ce type de propagande lourde, maladroite et contre-productive visait sans doute d'ailleurs moins à nous convaincre qu'à démontrer à leurs concitoyens que les régimes démocratiques sont faibles et moins efficaces qu'un régime autoritaire pour gérer une crise sanitaire.

Pékin ne pense évidemment pas convaincre Londres, Paris, Berlin ou Washington de se rallier à son système politique, mais la propagande chinoise, comme russe d'ailleurs, ne manque pas une occasion de rendre compte avec exagération parfois de toute manifestation populaire, avec accusation de violence policière ou raciale dans nos pays, ce qui permet de relativiser notamment les méthodes radicales de contrôle de la population chinoise en particulier ouïghoure. La presse chinoise s'en est donné à cœur joie en soulignant le chaos post-électoral avec le refus de Donald Trump de concéder la victoire à Joe Biden. C'est une nouvelle pierre dans le jardin de la démocratie qui sert bien les intérêts de la propagande interne chinoise en démontrant *a contrario* la sagesse du dirigeant et la stabilité du régime chinois. Dans un souci d'ouverture, le puissant département de la propagande du parti avait été rebaptisé en 2013 « département de l'information »… en anglais, sans changer l'appellation chinoise. Les méthodes restent très soviétiques.

Cela étant, comprenant leur erreur en constatant l'hostilité suscitée par cette attitude arrogante et brutale, les autorités chinoises, capables de réajustements tactiques, ont fait machine arrière et n'utilisent plus les ambassades pour critiquer les gouvernements européens. La diplomatie des vaccins qui consiste à en fournir à bas coûts aux pays en développement est ainsi plus discrète que ne le fut celle des masques.

La Chine a été le premier pays à renouer avec la croissance (plus 1,9 % en 2020), à augmenter considérablement ses exportations et à accroître sa part de marché dans le commerce mondial, redevenant la locomotive de l'économie dans le monde. Une fois de plus, les prédictions récurrentes des Cassandre ne se sont pas confirmées. Je me souviens des images apocalyptiques de 2008 quand les ouvriers de Shenzhen retournaient en masse chez eux. La presse occidentale prédisait une énième fois la fin de la croissance chinoise. Or celle-ci a rebondi très vite grâce à un plan de relance de 4 000 milliards de yuans. Les infrastructures indispensables ont largement été construites depuis. Mais le choix est déjà acté d'un autre modèle de croissance résultant de la consommation intérieure et des services, et non plus seulement dépendant des exportations et des investissements.

Nul doute que, malgré les difficultés (endettement régional, inégalités sociales, vieillissement de la population…), la Chine a l'énergie et la détermination pour rebondir. Xi Jinping sait bien que la crédibilité et la popularité du Parti communiste, qui compte aujourd'hui 90 millions de membres, sont liées à cette formidable réussite économique qui a permis de sortir 800 millions de personnes de la pauvreté et de placer la Chine en un temps record au deuxième rang des puissances mondiales. Le parti a, certes, renforcé son emprise en imposant des cellules dans chaque entreprise. Ce n'est sûrement pas un mode de gestion idéal mais cela n'a pas cassé la croissance ni l'esprit d'entreprise. Quant à la popularité de Xi Jinping, celui-ci a certes été critiqué au début de l'épidémie à Wuhan, mais le journal publié par l'écrivain Fang Fang[1], dont tous les romans décrivent avec affection le petit peuple de sa ville, montre que, comme du temps de l'empire, les critiques visent plus les mauvais mandarins locaux que l'empereur lui-même. De manière générale, si les espoirs d'ouverture et de libéralisation de l'intelligentsia ont été déçus, le peuple apprécie les efforts de Xi pour lutter contre la corruption, préserver la croissance et l'emploi.

La Chine, qui a, pendant des décennies, été modeste et discrète selon les recommandations de Deng Xiaoping d'attendre son heure en cachant ses talents, est désormais fière de ses succès et les assume au risque de l'hubris toujours dangereuse. Elle a décidé de s'investir au-delà des relations bilatérales savamment construites. L'Afrique, où elle est entrée à pas comptés, a été son premier terrain de jeu. Elle en est désormais le partenaire dominant et en recueille les fruits dans les instances internationales avec un soutien africain à ses positions et à ses candidats. Le retrait forcé de 35 000 Chinois de Libye après l'intervention franco-britannique de 2011 lui a ouvert les yeux sur la nécessité de protéger ses citoyens et ses intérêts économiques et a abouti à la mise en place d'une gigantesque base militaire à Djibouti, à partir de laquelle elle peut se déployer.

Le montant de ses réserves et de ses gains l'a incitée à lancer d'autres initiatives plus multilatérales, la

---

1. Fang Fang, *Wuhan, ville close. Journal*, Stock, 2020.

Banque asiatique d'investissement pour les infrastructures (AIIB) et, dans la foulée, les nouvelles routes de la soie baptisées « une ceinture, une route ». Le but étant de renforcer ses activités commerciales. Est-ce une entreprise hégémonique qui va au-delà des relations économiques et commerciales? C'est en tout cas aussi une question de prestige et une affaire personnelle pour Xi Jinping qui affirme sa conviction que le reste du monde en tire lui aussi les bénéfices. C'est d'abord un moyen de s'assurer des sources d'approvisionnement en matières premières, d'écouler des produits en surcapacité comme l'acier, ce qui a particulièrement affecté le Royaume-Uni, et d'ouvrir de nouveaux marchés. Les investissements dans des domaines stratégiques en Europe sont désormais plus contrôlés. Le Royaume-Uni, qui ne peut plus être la porte d'entrée sur le continent, révise aussi sa politique. La question de la réciprocité a été posée par certains des États membres sceptiques de l'Union européenne mais rien ne force les trains à repartir vides. Ce ne sera pas le cas si nous avons des produits à exporter. L'Allemagne garde un commerce excédentaire. Le principe de réciprocité doit davantage porter sur l'ouverture des marchés publics. Ce projet ambitieux qui associe cent quarante-trois pays dans le monde s'est révélé un facteur de division au sein de l'Union européenne, Rome et Lisbonne notamment ayant décidé d'y adhérer. Il sera intéressant de voir comment se positionneront les pays de l'Est qui sont jusqu'à présent les plus « pro-américains » tout en ayant des relations privilégiées avec la Chine. Il est crucial pour l'Union européenne d'adopter une stratégie à la fois ferme et réaliste. Sur le plan économique, l'Europe dispose de tous les instruments. À cet égard Bruxelles sous l'influence d'Angela Merkel a finalement conclu après sept ans de négociations un accord sur les investissements qui améliore fortement l'accès des Européens au marché chinois tout en répondant à des préoccupations européennes sur le travail forcé. La deuxième victoire remportée par Pékin est cette signature d'un accord de libre échange déjà cité avec les pays de la région y compris des pays avec lesquels elle entretient des relations litigieuses Australie et Japon notamment.

L'autre aspect de la puissance chinoise qui nous concerne est ce que l'on appelle l'« entrisme » dans les institutions internationales, mais le sentiment, justifié, des Chinois est que les Occidentaux s'étaient octroyé tous les sièges d'influence et que la Chine n'était nulle part dans le paysage si l'on excepte le poste traditionnel de secrétaire général adjoint de l'ONU aux affaires économiques et sociales. Parce qu'il fallait bien lui donner quelque chose. Comme toujours, elle a procédé de façon progressive, après l'élection de Margaret Chan, Hongkongaise diplômée d'universités américaines et canadiennes, à l'OMS, le premier poste visé a été celui de l'ONUDI, l'Organisation des Nations unies pour le développement industriel, que la France, sans lien de cause à effet, a d'ailleurs quittée la même année où un Chinois en prenait la tête. Elle a ensuite visé l'OACI, l'Organisation internationale de l'aviation civile, l'UIT, l'Union internationale des télécommunications, la FAO, l'Organisation des Nations unies pour l'alimentation et l'agriculture,

Interpol puis l'OMPI, l'Organisation mondiale de la propriété intellectuelle. Elle a gagné avec le soutien africain en particulier. Était-ce illégitime sachant que la Chine est désormais la deuxième puissance mondiale et qu'elle est le deuxième contributeur au budget régulier de l'ONU, qu'elle a fourni une réserve de huit mille hommes pour les opérations de maintien de la paix et qu'elle est le premier contributeur de troupes parmi les membres permanents ? Elle a d'ailleurs été sollicitée à cet effet et le secrétaire général des Nations unies l'en a remerciée. Nous-mêmes ne cessions de lui demander d'augmenter sa contribution et d'exercer davantage de responsabilités. Voilà qui est fait sans doute bien au-delà de nos espérances, et de nos intérêts parfois. Il y a aujourd'hui rupture d'équilibre dans le système puisqu'elle est à la tête de quatre agences spécialisées sur quinze et souvent dans des domaines sensibles où elle est à même de favoriser les positions et les intérêts chinois. C'est le seul pays à être ainsi surreprésenté à la tête des agences de l'ONU. Que la Chine ait une expertise en matière agricole est indéniable, en revanche l'on peut s'interroger sur son bilan et ses standards en matière de justice et de police ; l'affaire s'est d'ailleurs mal terminée avec le rappel brutal à Pékin et la condamnation du président élu d'Interpol, Meng Hongwei, accusé de corruption. La même question pouvait être posée s'agissant de l'OMPI, responsable de l'intelligence industrielle et des brevets. Certes la Chine est le pays qui dépose le plus de brevets dans le monde mais il lui reste des progrès à faire en matière de respect de la protection intellectuelle.

Cette situation résulte du désinvestissement américain. Lors des campagnes électorales à la tête des agences, de manière générale, il est important de choisir les candidats en fonction de leur expertise et expérience et non parce qu'il n'y a plus de place pour eux sur la scène nationale, ce dont j'ai été témoin en tant que directrice de l'ONU et des organisations internationales au Quai d'Orsay. Il faut ensuite mener une campagne raisonnée en obtenant le soutien de nos partenaires. Cette prise de conscience et une bonne mobilisation ont permis de faire élire un candidat singapourien, Daren Tang, en concurrence avec une candidate chinoise, à la tête de l'OMPI en mai 2020. Ce que beaucoup ont découvert à l'occasion de la crise du Covid, avec le cas d'école de l'OMS, est que des agences pouvaient être sous l'influence des plus grands donateurs, publics comme privés. Il a été relevé en particulier que la Fondation Bill et Melinda Gates était le deuxième donateur après les États-Unis et que leurs dons étaient ciblés sur l'éradication de la poliomyélite, qui n'est plus une priorité dans le monde. Mais les agences sont désormais financées à hauteur de 80 % par des contributions volontaires souvent fléchées et seulement à 20 % par les contributions obligatoires. Le Dr Tedros Adhanom Ghebreyesus, ancien ministre de la Santé et des Affaires étrangères d'Éthiopie dont les liens avec la Chine ont été soulignés, n'était pas LE candidat de la Chine mais bien celui de l'Afrique au titre du principe, pas toujours respecté, de rotation géographique, même s'il est vrai que la Chine a une influence particulière en Éthiopie où ses importants investissements ont permis le décollage économique. Si nous voulons avoir du poids dans la gouvernance de ces agences, nous devons mettre fin à la baisse continue de nos contributions volontaires sous prétexte de faire des économies. Car ces agences techniques sont un bon retour sur investissement compte tenu des sujets traités.

Le multilatéralisme est dans l'intérêt des Européens. On souligne souvent que c'est même leur ADN. Les Américains estiment, quant à eux, pouvoir s'en passer. Nous devons, en tout cas, cesser de considérer même inconsciemment que la communauté euratlantique doit dominer partout. Kishore Mahbubani[1], brillant diplomate et politologue singapourien, pose la question, rhétorique, dans deux livres récents aux titres provocateurs mais sur la base d'arguments étayés : *Has the West Lost It ?* et *Has China won ?* en évoquant « la parenthèse occidentale ». Hubert Védrine souligne pour sa part la perte du monopole de la puissance par les Occidentaux. Une prise de conscience est d'ailleurs en cours, comme l'a montré le choix du thème de la conférence de Munich à la veille de la pandémie. Arrêtons donc de rêver et voyons le monde tel qu'il est avant de prétendre le transformer. Nous n'avons pas la même histoire, la même dimension démographique ou géographique, ni la même culture. Nous ne sommes pas héritiers d'empires continentaux qui façonnent la conception que l'on peut avoir de son pays. Nous ne pensons pas de la même manière. La question des valeurs est complexe

---

1. Kishore Mahbubani, *Has the West Lost ?*, Allen Lane, 2018 et *Has China Won ?*, Public Affairs, 2020.

et il serait plus pertinent de se battre sur le terrain des droits, qui sont eux universels ne serait-ce que parce que la Déclaration universelle des droits de l'homme de 1948 a été adoptée par tous les pays. Le rédacteur chinois, Chang Pengchun, a d'ailleurs eu une influence déterminante en s'employant à convaincre avec succès les autres membres du comité de rédaction d'adopter les principes humanistes du confucianisme et de recourir au compromis. Incidemment, l'autre rédacteur qui a joué un rôle important est le Libanais Charles Habib Malik. Mais qui se souvient ou veut se souvenir d'eux dans leurs pays respectifs ou chez nous ? Nous n'avons retenu que les noms de René Cassin et d'Eleanor Roosevelt. En outre, il est clair que la torture n'est une valeur dans aucune culture.

Nous, Européens, avons, en revanche, été critiqués, à tort ou à raison mais c'est leur perception, par tous les pays de la région, indépendamment du régime, en tant qu'Occidentaux pour notre individualisme et notre égoïsme opposés aux valeurs asiatiques ou confucéennes d'attachement à la communauté. La démocratie, qui fait partie de nos valeurs et dont nous sommes tous convaincus en Occident avec Churchill qu'elle est le pire des systèmes à l'exclusion de tous les autres, est-elle un droit universel ? Et quel système démocratique, sachant qu'aucun n'est identique à un autre, que la majorité des voix ne fait pas toujours l'élection, comme aux États-Unis, sans parler d'un président contestant le résultat des élections, comme dans de nombreux pays d'Afrique, notamment, qui se sont vus faire la leçon par les Américains. Un système démocratique formel ne présente pas toujours des garanties pour les minorités ou n'exclut pas, par exemple, des systèmes de castes discriminatoires extrêmement rigides qui tolèrent en outre les violences ethniques.

La Chine et sans doute la Russie évolueront au fur et à mesure de l'arrivée de générations qui connaissent mieux le monde, où ils étudient et voyagent, que les générations actuelles de dirigeants formatés par les régimes communistes. Beaucoup, éduqués dans le système britannique, restent profondément nationalistes. En tout état de cause, il faut, en attendant, cesser de rêver à une démocratisation automatique avec la croissance économique et l'émergence des classes moyennes. Tout en ne nous interdisant pas de soulever les cas flagrants de violations de droits de l'homme, nous gagnerons à traiter avec les pays et les régimes tels qu'ils sont, à cesser de donner des leçons du haut de nos échecs ou de nos défaillances – surtout quand au sein de l'UE, des pays ne respectent pas les règles de droit et la démocratie – et nous préparer à vivre dans un monde où coexistent des démocraties et des régimes forts, illibéraux. Nous l'avons fait du temps de l'Union soviétique. Nous étions plus séduits par la Chine maoïste criminelle, lointaine et exotique il est vrai, que par une Chine devenue puissante et concurrente grâce à la vision de ses dirigeants et à la sueur de ses habitants.

Le siècle sera déterminé par cette montée en puissance de la Chine et sa rivalité avec les États-Unis. L'Europe devra devenir une puissance d'équilibre, continuer d'être une puissance normative et surtout trouver une véritable souveraineté en matière de défense, d'économie, de technologie, idéalement en mettant en place une DARPA, sur le modèle américain pour la recherche et le développement des nouvelles technologies à usage militaire. L'élection de Joe Biden risque de baisser la garde des Européens et de réanimer la flamme atlantiste ; ainsi en Allemagne comme vient de le montrer la récente déclaration de la ministre de la Défense, Annegret Kramp-Karrenbauer : « Il faut en finir avec l'illusion de l'autonomie européenne. » Il est vital de renforcer l'euro et d'en faire une véritable monnaie de réserve. L'UE devra définir une relation réaliste avec Pékin et Washington qui tienne compte de ses propres intérêts sans rallier de façon pavlovienne la Maison-Blanche dans son bras de fer avec la Chine. L'élection d'Angela Merkel sera déterminante à cet égard.

Donald Trump a plus déstabilisé le monde et l'Europe au cours de son mandat que Xi Jinping ou Vladimir Poutine. En ce sens, les États-Unis étaient un État révisionniste. L'unilatéralisme n'est pas nouveau dans l'histoire américaine, mais la démolition systématique du système multilatéral mis en place par les États-Unis eux-mêmes dans l'après-guerre, si. Au point de couper les fonds et de se retirer de l'Organisation mondiale de la santé en pleine pandémie en offrant une fois de plus le beau rôle à Xi Jinping qui a annoncé une contribution supplémentaire de 2 milliards de dollars. Trump avait donné le ton dès son entrée en fonction : « *It will be only America first.* » Et il a appliqué strictement son programme sans alliés ni amis mais en désignant de nouveaux ennemis : la Chine en priorité et les Européens avec une motion spéciale pour l'Allemagne et une exception pour le Brexitland de Nigel Farage et Boris Johnson par proximité idéologique. Il a dénoncé d'emblée les Européens comme des ennemis qui profitent de l'Amérique en ne payant pas leur part du fardeau pour leur défense à l'OTAN et qui vendent leurs voitures – allemandes – sans importer en contrepartie d'automobiles américaines. Il a déclaré sans aucune ambiguïté après la conclusion de l'accord commercial de première phase avec la Chine en janvier 2020 que ça allait être le tour des Européens. Sur le premier point, la ministre de la Défense française, Florence Parly, a répliqué de façon percutante et humoristique que l'article 5 de l'Alliance atlantique, au nom duquel une attaque contre un pays de l'OTAN déclenche automatiquement une réaction de la part des autres alliés, n'était pas l'article F35, soit l'avion de combat que cherchent à imposer les Américains. En résumé, les Européens devraient augmenter leur budget de défense pour acquérir des armes américaines. Cette utilisation de l'OTAN comme un instrument au service des intérêts de Washington est antérieure à l'arrivée de Trump aux affaires et y survivra sans doute. La première réaction de Trump avait d'ailleurs été de considérer que l'OTAN était obsolète malgré l'avis de ses généraux et les protestations des alliés.

Cette rupture transatlantique n'est cependant pas évidente encore aux yeux de certains Européens qui espèrent, comme les Allemands, sortir d'un mauvais rêve avec l'élection d'un nouveau président américain.

Le 45ᵉ président des États-Unis a décidé le désengagement des troupes américaines dans les zones de combat. C'est peut-être justifié, mais le faire du jour au lendemain sans consulter ses alliés des théâtres de guerre du Moyen-Orient a laissé la Russie seule maître du jeu. Cette dernière gère ainsi avec Ankara et Téhéran la crise syrienne et intervient sur un mode similaire en Libye en tandem avec la Turquie. Trump a dénoncé les traités signés par son prédécesseur, de l'accord de Paris sur le climat à l'accord nucléaire avec l'Iran. Avec entre autres dommages le discrédit apporté à la démocratie, qui laissera des traces. Par le fait même déjà que l'élection d'un président aussi extravagant, ignorant, menteur et narcissique, professant racisme et xénophobie, soit possible. La presse chinoise avait écrit dans le contexte de la campagne électorale de 2016 : « La démocratie est une farce : regardez Trump », sa gestion déplorable de la crise sanitaire et ses foucades alimentent cette argumentation. Tous les peuples du monde ont été sidérés ou indignés à un moment ou un autre par ses propos agressifs ou grotesques, le comble ayant été atteint avec les conseils loufoques d'injection d'eau de Javel dans les poumons pour éliminer le Covid.

Un récent sondage du Pew Research Center a fait apparaître récemment que le taux de satisfaction des Chinois à l'égard de leurs dirigeants était un des plus élevés au monde. Certains, en Chine ou en Russie, peuvent néanmoins être mécontents de leurs dirigeants mais ils n'en ont certainement pas honte, alors que de nombreux Américains ont exprimé ce sentiment pendant le mandat de Trump. Le messager des droits de l'homme qui sépare de leurs parents de très jeunes enfants mis dans des cages, qui encourage les populations à se révolter contre les mesures de protection raisonnables contre le Covid prises par les dirigeants des États démocrates, ou qui soutient mordicus le deuxième amendement sur le port d'armes par n'importe quel criminel ou déséquilibré mental au prix de dizaines de milliers de morts notamment d'enfants chaque année n'est certainement pas le messager le plus pertinent. Le messager, intermittent d'ailleurs car ce sujet l'indiffère profondément, a tué le message. La fascination teintée d'affection pour celui qu'il a appelé « Rocket Man », Kim Jong-un, doit laisser perplexes les Chinois qui essaient de préserver la Corée du Nord par intérêt bien compris mais n'ont aucune illusion sur l'homme ou son régime qui a pour eux un parfum de révolution culturelle.

La formule éculée de « leader du monde libre » aggravait encore cette situation parce que cela nous affectait tous. Enfin, Trump, par ses déclarations hostiles au multilatéralisme et au libre-échange, a offert à Xi Jinping, depuis son intervention remarquée en janvier 2017 au forum de Davos, le beau rôle de héraut de ces nobles causes même si elles sont habillées aux couleurs chinoises. Enfin, si l'accès aux marchés publics chinois reste restreint pour les Occidentaux, les marchés américains sont-ils plus ouverts ? Du moins les Chinois ne dictent-ils pas leurs lois en interdisant aux Européens d'effectuer des transactions avec tel ou tel pays comme le font les Américains sur la base de lois extraterritoriales en abusant de la suprématie du dollar.

L'un des résultats de la politique de Trump est aussi – au nom du principe bien connu : « L'ennemi de mon ennemi est mon ami » – d'avoir suscité une nouvelle lune de miel entre Pékin et Moscou. Deux peuples pourtant qui ont eu une histoire mouvementée et des relations heurtées, et entre lesquels il n'y a pas d'amour perdu. Leurs dirigeants ont, malgré la différence de style, établi une relation personnelle qui se consolide au fil des visites réciproques. Leurs positions sont concertées au Conseil de sécurité où aucune résolution ne passe plus sur la Syrie depuis que nous avons fait du « *regime change* » en Libye en éliminant Kadhafi, ce qui a ulcéré les deux capitales, qui prennent leur revanche.

Poutine entendait aussi « *make Russia great again* » en restaurant le rang de la Russie, redevenue un acteur qui compte sur la scène internationale. En tout cas au Moyen-Orient et en Afrique. C'est une relation asymétrique mais Xi Jinping feint de l'ignorer. La différence entre les deux pays par une inversion spectaculaire de leur place et influence respectives en trente ans est que la Chine est désormais une puissance géo-économique de 1,4 milliard d'habitants soit le cinquième de la population mondiale alors que la Russie avec un PIB au niveau de celui de l'Espagne et une population en régression (146 millions) conserve une vision purement géopolitique de la puissance, où le poids des armes est supérieur à celui de l'économie. Vision du monde héritée de l'Union soviétique et de la guerre froide. Poutine l'a illustrée lors de son discours dans la salle du Manège de Moscou en mars 2018, où, appuyé par une mise en scène impressionnante d'une arme hypersonique, une boule de feu qui frappait la Floride, il a prononcé cette phrase très révélatrice : « Vous n'avez pas voulu nous écouter. Maintenant, vous allez nous entendre. » Et ses équipes de nous expliquer que c'était en fait une offre de dialogue. Il mettait en avant ces armes sophistiquées dont les Américains ne disposent pas encore pour essayer de restaurer une certaine forme de parité dans ce qui fut le domaine clé de la coopération entre Washington et Moscou du temps de la guerre froide. Coopération dont les Russes ont la nostalgie. Le pouvoir d'achat de la population baisse régulièrement dans un pays rentier excessivement dépendant du secteur du gaz et du pétrole contrôlés par des mastodontes tels Gazprom ou Rosneft. Et cela malgré des réserves considérables qui ont été constituées dès que le prix du baril est remonté au-dessus de 40 dollars, ce qui a permis à Poutine de s'offrir le luxe d'une crise avec l'Arabie saoudite en refusant de limiter la production pour faire remonter les prix au mois de février 2020, afin d'affaiblir les producteurs américains de gaz de schiste concurrents du gaz russe.

La relation Trump-Poutine était plus complexe que celle de Trump avec Xi Jinping. Trump était certainement fasciné par l'homme fort à la tête d'un empire qu'est Xi Jinping mais il « ne le sentait pas » ; il sait aussi que la Chine est le concurrent le plus dangereux. Il aurait eu plus de latitude d'action avec Poutine, qu'il comprenait mieux que Xi Jinping, si sa présidence n'avait pas été entachée du soupçon lié à l'ingérence russe dans son élection. C'est la principale raison du dérapage du sommet d'Helsinki en 2018, au cours duquel Trump en est venu à mettre en cause pendant la conférence

de presse commune ses propres agences de renseignement, suscitant un tollé, et de la paralysie des relations
qui s'en est suivi. Et aujourd'hui près de mille sanctions
de toute nature, imposées par le Congrès américain,
semaine après semaine, visent les Russes. La nouvelle
administration américaine aura certainement des relations plus pragmatiques avec Moscou notamment sur les
questions de maîtrise des armements mais il n'est plus
question d'appliquer un des conseils d'Henry Kissinger
de s'entendre avec le plus faible, la Russie, contre le plus
fort, l'ennemi principal, la Chine. Stratégie que ce dernier a conçue et mise en œuvre en 1972 contre l'Union
soviétique en entamant la normalisation avec Pékin. Il
est peu probable d'ailleurs que la Russie se détache totalement de la Chine avec qui elle a établi un partenariat,
non une alliance, de plus en plus étroit au cours des dernières années, y compris sur le plan stratégique avec des
exercices militaires communs en Extrême-Orient mais
aussi dans la Baltique. Dans ses relations avec son grand
voisin, l'Union européenne devra aussi définir une stratégie réaliste au risque, sinon, d'être prise à contre-pied
par Washington.

Ce monde existait bien avant le Covid, qui a été
un révélateur et sans doute un accélérateur. Malgré
les assertions des uns et des autres, aucun régime en
tant que tel n'a gagné, ni l'Ouest ni l'Est, ni le Sud
ni le Nord. Hasard des situations dans les différentes
régions du monde? Raisons que nous ne connaissons
pas encore? Bonne ou mauvaise gestion? Il est sans
doute trop tôt pour le dire. Mais les pays de l'Union
européenne, dont certains ont payé un lourd tribut

comme la Belgique, l'Italie, l'Espagne et la France tandis que l'Allemagne, la Grèce et les pays de l'Est étaient dans un premier temps relativement épargnés, devront retrouver ensemble le chemin de la solidarité et de la relance. Le Royaume-Uni, plus frappé encore que le continent, devra gérer simultanément les conséquences de la crise sanitaire et du Brexit. Il devra redéfinir ses relations avec ses voisins pour évoluer au mieux entre Washington et Pékin sans oublier Moscou, qui a toujours été une obsession pour Londres en raison des sous-marins qui patrouillent non loin de ses eaux territoriales et de la prédilection de ses espions pour la capitale britannique.

Dans ce contexte de guerre froide, l'Union européenne doit apprendre la grammaire de la puissance et se doter d'une boussole stratégique pour rester un acteur digne de ce nom. Il est est intéressant à cet égard que le Royaume-Uni ait décidé d'adhérer à l'« Initiative européenne d'intervention » (militaire) alors qu'il avait déjà entamé la phase de retrait de l'Union européenne. La question se posera de la pertinence et des modalités d'association, théoriquement possible du Royaume-Uni à des opérations de sécurité et de défense de l'Union européenne. Se posera aussi la question de positions communes des trois grandes capitales Berlin-Londres-Paris sur des sujets d'intérêt commun, comme c'est le cas pour l'Iran – initiative datant de 2003 visant à réconcilier ces trois capitales divisées sur le soutien à la guerre américaine en Iraq –, sans pour autant aliéner les autres capitales européennes, toujours susceptibles sur ce point, et affaiblir l'Union européenne en tant que telle.

L'UE a su s'imposer grâce à la méthode du négociateur en chef, Michel Barnier, qui a constamment joué la transparence avec les États membres et a permis de maintenir la solidarité.

Le Brexit a été acté le 1er janvier 2021 mais l'histoire n'est pas finie et des relations de coopération au-delà des textes agréés devront être mises en place.

Les hasards du calendrier permettront au Royaume-Uni de retrouver en 2021 un certain lustre diplomatique et le sens de la coopération en tant que président du G7 – même si l'on peut s'interroger sur l'avenir de cette instance – et de la COP 26, la conférence des Nations-Unies sur le changement climatique.

Épilogue

J'aurai passé plus de quarante ans de ma carrière diplomatique à travailler en bonne intelligence, et même en toute amitié et complicité, comme jeune diplomate puis comme ambassadeur, avec mes collègues britanniques à Pékin ou à Moscou, en format *quad*[1] ou *quint*[2] dans les chambres sourdes des ambassades, dans les enceintes multilatérales à la mission permanente de la France auprès des Nations unies à New York, et même à Bruxelles au Comité politique et de sécurité (COPS) auprès de l'Union européenne. J'ai commencé ma carrière à la toute fin des années soixante-dix dans un territoire de la couronne britannique qui en était le dernier joyau : Hong Kong.

J'ai adoré vivre à Londres, une ville dynamique, traditionnelle et moderne, « une ville à la campagne » avec ses magnifiques et immenses parcs, ses renards

---

1. Allemagne, États-Unis, France, Royaume-Uni.
2. Allemagne, États-Unis, France, Japon, Royaume-Uni.

et ses écureuils qui s'égarent dans les rues. J'ai aimé cet humour britannique, dont la réputation n'est pas usurpée, d'une vive intelligence et non-dénuée d'auto-dérision. J'ai aimé la rigueur des professeurs des grandes universités, des scientifiques, des juristes, des journalistes de médias dont l'audience est internationale. J'ai apprécié les innombrables débats dans les think tanks. J'ai eu le privilège de rencontrer des écrivains contemporains de grand talent, pour lesquels une histoire individuelle s'inscrit dans une société, un moment de l'Histoire : Julian Barnes, William Boyd, Jonathan Coe, Kazuo Ishiguro, Ian MacEwan, John le Carré, David Lodge... J'ai aussi suivi les chemins des écrivains du passé dans la campagne ou les petites villes anglaises, Bath pour Jane Austen, le Devon pour Agatha Christie et Conan Doyle, les Cornouailles pour Daphné du Maurier. J'ai porté un masque de William Shakespeare dans la procession organisée à Stratford-Upon-Avon pour célébrer le 400ᵉ anniversaire de sa mort.

Bref, j'y serais bien restée à l'instar de mes lointains et illustres prédécesseurs, au-delà de quatre-vingts ans comme Talleyrand ou pendant vingt-deux ans comme Jules Cambon... Je sais que la vie d'un ambassadeur à Londres entre Kensington Palace Gardens et Knightsbridge était une vie d'ultra-privilégié et que beaucoup de mes jeunes collègues du Foreign Office doivent habiter à plus d'une heure de trajet de Londres. À charge de revanche pour eux à Paris.

J'ai vécu ces années Brexit avec un vif intérêt parce que j'étais aux premières loges en tant qu'ambassadeur de France jouissant d'accès privilégiés, mais aussi avec étonnement et tristesse. J'ai, pendant trois ans, vu des centaines de personnes de tous bords, au petit déjeuner parfois très tôt le matin, tradition britannique oblige, au déjeuner et au dîner. Outre les ministres, je voyais dans cette démocratie parlementaire les députés d'arrière-ban si influents, les lords non élus mais réunissant une belle collection d'intelligences et de compétences qui ne disposaient pas du droit de vote, à l'instar de la famille royale et des ecclésiastiques, ces derniers étant d'ailleurs membres de cette Chambre des lords tant décriée et dont la mise à mort est constamment réclamée. Je recevais également souvent les journalistes dont les informations, les analyses et les potins étaient précieux. La résidence était élégante et la table réputée, conformément à la préconisation de Talleyrand : « Un bon chef est plus important qu'un bon secrétaire d'ambassade », sans offense naturellement pour mes excellents collaborateurs de la chancellerie diplomatique. J'ai multiplié les rencontres séparément, « en confessionnal », pour qu'ils puissent s'exprimer librement. Certains m'interrogeaient d'ailleurs à leur tour, pensant que j'étais mieux informée qu'eux puisque je parlais à tout le monde y compris à leurs adversaires. Tous, à de très rares exceptions, Remainers comme Brexiters, jusqu'à la dernière heure étaient convaincus que le Royaume-Uni refuserait le saut dans l'inconnu et resterait dans l'Union européenne.

Difficile de comprendre alors que le monde était en train de changer, et que, de façon souterraine, se préparaient partout dans le monde ces réactions hostiles aux élites politiques, économiques et financières, ces remises en cause de la mondialisation, ces revendications identitaires. Le tout étant servi et amplifié par des réseaux sociaux où triomphaient sans limites la haine, le complotisme fondés sur ces vérités alternatives alors que le mot de « *fake news* » allait pénétrer toutes les langues – et auquel nous avons fini par trouver une terminologie française (infox). Même les experts ne trouvaient plus grâce aux yeux du peuple comme au temps de la révolution culturelle chinoise, qui fut l'acmé du populisme, lorsqu'on « préférerait un train socialiste qui arrive en retard à un train capitaliste qui arrive à l'heure » et où il est dit sans ambages qu'« il vaut mieux être rouge/Brexiter qu'expert » et qu'un paysan est habilité à opérer un patient alors que le chirurgien est contraint de nettoyer les toilettes de l'hôpital. Un jour, Tony Blair a rapporté que, lors d'un débat, un contradicteur furieux lui a répondu : « Alors vous savez tout mieux que moi ! » Tony Blair de répliquer posément : « Oui, je sais un certain nombre de choses parce que j'ai été Premier ministre pendant dix ans. » Cela ne coulait pas de source pour son interlocuteur.

Ce fut la première alerte, le premier « *wake up call* », comme disent les Britanniques, sidérant *a priori* dans un pays dont l'ADN semblait le plus libéral, libre-échangiste dans l'âme et pragmatique, avec une tradition d'ouverture et de tolérance. Un pays bénéficiant de la mondialisation dont il se faisait le héraut, de surcroît en période de croissance économique forte et de plein-emploi malgré la politique d'austérité. Pourtant, déjà, les « *somewhere*[1] », les gens de quelque part, la périphérie en quelque sorte, s'opposaient aux « *anywhere* », les gens de n'importe où, internationalistes ou citadins, qualifiés par Theresa May après sa victoire de « citoyens de nulle part », qui peuvent travailler et vivre à Paris, New York, Londres, Singapour ou Hong Kong. L'élection de Donald Trump a suivi avec des ressorts similaires, cette même haine antisystème de citoyens frustrés vivant dans des zones désindustrialisées se sentant laissés-pour-compte de la mondialisation. J'ai suivi le résultat de l'élection présidentielle de novembre 2016 à l'ambassade américaine en ayant très vite le sentiment de revivre la nuit du Brexit. Avant même le résultat final cette impression que rien ne se passait comme attendu dans les différents États. Encore tard dans la soirée, l'on y donnait Hilary Clinton gagnante. Je suis partie avant la fin tout en continuant à suivre le décompte pendant la nuit. Tous les Américains de Londres et ceux qui étaient de passage avaient expliqué au fil des mois qu'une telle victoire était impossible ne serait-ce que pour des raisons arithmétiques (le vote des femmes, des Noirs, des Latinos, etc.). Encore faux. Échaudée une fois, j'ai été moins surprise par ce résultat. Les Britanniques ont été partagés entre la surprise et une certaine « *Schadenfreude* », le soulagement de ne pas être seuls à avoir « foiré » (*fucked up*). Les Brexiters se sont réjouis ouvertement et Nigel Farage, l'homme du repli sur soi de la Grande-Bretagne, s'est précipité à la Trump Tower de New York en préparant d'ailleurs,

---

1. David Goodhart, *The Road to Somewhere*, Penguin Books, 2017.

avec le soutien d'un fonds privé, sa nouvelle vie aux États-Unis, projet finalement abandonné.

Là a commencé l'affolement du monde[1] : le jeu de massacre trumpien, le monde irréel et parfois surréaliste du Brexitland – visé par les tweets du journaliste anglais naturalisé français Alex Taylor[2] qui commencent presque systématiquement par ces mots : « Je n'invente pas » –, une coalition baroque en Italie avec Salvini, le retour de l'extrême droite avec l'arrivée de l'AFD au Bundestag en Allemagne que l'on pensait immunisée, puis les « gilets jaunes » en France qui s'imaginaient vivre dans un État totalitaire.

Ce qui est caractéristique d'un côté comme de l'autre de l'Atlantique est que les populations déshéritées et frustrées sont prêtes à confier les clés de leur destin à un homme issu en réalité de l'élite honnie, mais pourvu d'un don particulier pour jouer de façon convaincante à l'intention de gens crédules le rôle de tribun, d'homme du peuple à leur image. En l'abreuvant de fausses informations anxiogènes, au Royaume-Uni sur l'Union européenne et sur les immigrés, les dirigeants populistes ont habilement manipulé le peuple. Puis ils l'ont sanctifié et se sont déclarés seuls détenteurs de « la volonté du peuple », refusant la pluralité ou les corps intermédiaires. Qu'on se rappelle Mirabeau : « Nous sommes ici par la volonté du peuple et n'en sortirons que par la force des baïonnettes. » Ceux qui ne partagent pas leur dogme sont marqués au fer rouge

---

1. Thomas Gomart, *L'Affolement du monde*, Tallandier, 2020.
2. Alex Taylor, *Brexit. L'autopsie d'une illusion*, JC Lattès, 2019.

comme capitulards, traîtres ou ennemis du peuple et désignés à la vindicte populaire relayée par les tabloïds. Y a-t-il d'ailleurs une volonté du peuple homogène ? Dans le cas précis du Brexit personne n'a jamais réussi à le définir au-delà du divorce avec l'Union européenne. Qui décide ? Le patron de presse milliardaire et hégémonique Rupert Murdoch, pourtant un étranger selon leurs critères ? Par quel mystère ou tour de passe-passe des etoniens, des oxfordiens membres pur sucre de l'establishment ont-ils réussi à se faire prendre de manière durable pour des candidats du peuple antisystème ? Pourquoi les masques ne sont-ils pas tombés dans les mois ou les années qui ont suivi ? Pourquoi une telle crédulité et une telle indulgence ? Il fut un temps où, en politique, le mensonge – dévoilé – était le péché suprême. Aujourd'hui, à l'ère de la « post-vérité » assumée, plus on ment plus on est populaire. La gestion particulièrement calamiteuse de la crise du coronavirus et le déni de réalité des dirigeants populistes qui se sont tous retrouvés à l'hôpital ont cependant abouti à un début de mise en cause. Sera-t-elle durable ? Ce qui paraît acquis est la division croissante des populations et des pays. La plupart sont coupés en deux entre les urbains et les élites, d'une part, et les populations qui ont été qualifiées de « périphériques », celles des petites villes desindustrialisées et du monde rural d'autre part. Cette situation perdurera sans doute avec l'élection de Joe Biden et la résistance du trumpisme. Le monde est pour sa part fracturé entre démocraties et régimes illibéraux ou démocratures dans un affrontement sans précédent.

Paul Morand se demandait ce que Londres, qu'il décrivait dans les années trente comme sa mascotte, serait demain. Il assurait avec prescience : « Elle va changer : basse, elle va s'élever, grâce à l'acier et au béton armé [...] bientôt ses faubourgs se trouveront à l'entrée du tunnel sous la Manche. Plus rapprochée de Paris que ne le sont Lyon ou Bordeaux, Londres subira alors l'influence directe d'un continent dont elle croyait s'être détachée définitivement, dès la Renaissance. » Il se demandait si Londres serait « le centre d'un grand empire ou sa succursale, [...] une capitale dénationalisée où le Premier ministre sera canadien, la presse australienne, le roman néo-zélandais, la musique rhodésienne, la langue afrikaner ». C'est amusant quand on pense que, en 2016, le directeur de la Banque d'Angleterre était canadien et les médias précisément aux mains d'un magnat australien. Ou bien, s'interrogeait-il, « ces grands fruits mûrs que sont les Dominions s'étant détachés de l'arbre, Londres deviendrait une maison de retraite, une paisible Hollande de traditions et de musées, à côté de son abbaye de Westminster ». J'ai lu ce très joli livre intitulé simplement *Londres* à mon arrivée au Royaume-Uni, la réponse était alors évidente mais aujourd'hui le destin du pays est de nouveau en jeu.

Alors ? *What next ?* Sachant désormais que d'autres cygnes noirs peuvent arriver et changer le cours des choses. Les Britanniques ne sont pas gens à pleurer sur le lait renversé. Ils vont rebondir car ils sont dynamiques, tout en ayant le talent de transformer des échecs en mythes, des échecs héroïques, « *heroic failure* », comme le décrit si bien le journaliste irlandais

Fintan O'Toole[1] en se référant à George Orwell, étayant sa démonstration par nombre d'exemples parlants tels la charge de la brigade légère, l'épopée tragique de Gordon à Khartoum, le repli de Dunkerque... Le très libéral Boris Johnson qui rêvait d'une économie dérégulée se lance dans un programme keynésien de relance en investissant dans les infrastructures. Ceux qui ont écouté les sirènes des tribuns du Brexit ont accepté d'être plus pauvres, mais pour combien de temps ? Une pétition de principe contre le principe de réalité ? Pour être libres et indépendants, retrouver le contrôle, mais comment, entre les très fortes pressions concurrentes des géants chinois et américain ? Suffit-il, comme le proclame Boris Johnson, d'avoir foi en son pays ? D'autant que si le Parlement de Westminster a approuvé l'accord dans la précipitation le 30 décembre 2020, l'opposition des LibDems, du DUP et surtout du SNP montre que les divisions n'ont pas disparu. Si les élections législatives de mai 2021 en Écosse donne la majorité absolue au parti de Nicola Sturgeon, très habile politicienne, la pression pour un nouveau référendum d'indépendance se fera plus forte ce qui accroîtra également la perspective d'une réunification de l'Irlande, le statut particulier de l'Irlande du Nord aligné sur certaines règles européennes incitant à une coopération renforcée entre Belfast et Dublin dans certains domaines.

Quelle sera la relation avec l'Union européenne au-delà de l'économie, en termes de sécurité, de défense, de partage du renseignement, d'échanges

---

1. Fintan O'Toole, *Heroic Failure*, *op. cit.*

scientifiques, et d'adhésion aux positions diplomatiques européennes ? Aucun homme (ou pays) n'est une île écrivait le poète anglais John Donne au XVIIᵉ siècle. C'est encore plus vrai au temps de la mondialisation appelée à se poursuivre malgré les tentations protectionnistes. Les générations suivantes seront-elles tentées par une réadhésion ? Tout dépendra du rapport de force, qui n'est pas prévisible à ce stade, de la capacité de l'Union européenne à aller plus loin dans l'intégration économique pour être crédible et s'affirmer comme puissance politique, ainsi que la nouvelle entente Macron-Merkel semble en tracer la voie. L'Union européenne a incontestablement marqué des points en fin d'année avec l'accord sur le Brexit préservant l'intégrité du marché unique et les intérêts de ses citoyens, avec une politique d'acquisition de vaccins à bas coûts compte tenu de l'importance de la commande, et avec la signature d'un accord sur les investissements en Chine sans attendre de façon timorée l'aval de Washington. La notion de triangle États-Unis-Chine-Union européenne prend donc tout son sens dans les années à venir. Certes beaucoup reste à faire (*work in progress*, comme le disent les Britanniques) mais la voie semble désormais tracée même si, comme le disait Aragon, rien n'est jamais acquis à l'homme (en l'occurrence à un État ou à l'Union européenne), ni sa force ni sa faiblesse.

Filmographie

Films, séries, pièces de théâtre

Cinéma

Allen Woody, *Match Point,* 2005
Frears Stephen, *The Queen,* 2006
Hooper Tom, *The King's Speech* (*Le Discours d'un roi*), 2010
Jones Terry, *Monty Python. La Vie de Brian,* 1979 (pour le parallèle avec l'UE dans la scène culte : « Qu'est-ce que les Romains ont fait pour nous ? »)
Loach Ken, *I, Daniel Blake,* 2016
Nolan Christopher, *Dunkerque,* 2017
Wright Joe, *Darkest hour* (*Les Heures sombres*), 2017

Télévision

Davies Andrew, *House of Cards,* BBC, 1990, 1993, 1995
Davies Russel, *Years and Years,* BBC, 2019
Graham James, *Brexit : The uncivil war,* Channel 4, 2019
Jay Anthony et Lynn Jonathan, *Yes Minister,* BBC, 1980-1982 et *Yes Prime Minister,* BBC,1986-1988

Morgan Peter, *The Crown*, Netflix, 2016-
Perry Jimmy et Croft David, *Dad's Army*, BBC,1968-1977

Théâtre

Herrin Jeremy (d'après Graham James), *This House*, 2017
   (parallèle entre la vie parlementaire précédant l'arrivée
   de Margaret Thatcher et celle sous Theresa May)
Morgan Peter, *The Audience*, 2013-

Bibliographie

Essais

Allison Graham, *Vers la guerre. L'Amérique et la Chine dans le Piège de Thucydide*, Odile Jacob, 2019

Badie Bertrand, *Nous ne sommes plus seuls au monde*, La découverte, 2016

Barber Lionel, *The powerful and the damned : private diaries in turbulent times*, WH Allen, 2020

Barnett Anthony, *The Lure of Greatness : England' Brexit & America's Trump*, Unbound, 2017

Cameron David, *For the Record*, Harper Collins UK, 2019

Cato the Younger, *Guilty Men*, Brexit Edition Biteback Publishing, 2017

Clarke Stephen, *Comment les Français ont gagné Waterloo*, Albin Michel, 2015

— *1 000 ans de mésentente cordiale. L'histoire anglo-française revue par un rosbif*, Nil Éditions, 2012

Enderlin Serge, *Angleterre. Brexit et conséquences*, Nevicata, 2017

Gimson Andrew, *Boris : The Making of the Prime Minister*, Simon & Schuster, 2016

Gomart Thomas, *L'Affolement du monde. 10 enjeux géopolitiques*, Tallandier, 2019

Goodhart David, *The Road to Somewhere: The Populist Revolt and the Future of Politics*, Penguin, 2017

Gravier Jean-François, *Paris et le désert français*, Le Portulan, 1947

Hollingsworth Mark et Langley Steward, *Londongrad: From Moscow with Cash*, Fourth Estate Ltd, 2010

Janvrin Isabelle et Rawlinson Catherine, *Les Français à Londres : de Guillaume le Conquérant à Charles de Gaulle*, Éditions Bibliomane, 2013

Kelly Linda, *Talleyrand in London: The Master Diplomat's Last Mission*, I.B. Tauris, 2017

Mahbubani Kishore, *Has the West Lost It?*, Allen Lane, 2018

— *Has China won: The Chinese Challenge to American Primacy*, Public Affairs, 2020

Müller Jan-Werner, *What is Populism ?*, Penguin, 2017

Oakeshott Isabel et Ashcroft Michael, *Call me Dave*, Biteback Publishing, 2015

Oliver Craig, *Unleashing Demons: The Inside Story of Brexit*, Hodder & Stoughton, 2016

O'Rourke Kevin, *Une brève histoire du Brexit*, Odile Jacob, 2018

O'Toole Fintan, *Heroic Failure: Brexit and the Politics of Pain*, Head of Zeus, 2018

Peston Robert, *WTF? : What have we done? Why did it happen? How do we take back control?*, Hodder & Stoughton, 2017

Roche Marc, *Le Brexit va réussir*, Albin Michel, 2018

— *Elle ne voulait pas être reine!*, Albin Michel, 2020

Rogers Yvan, *9 Lessons in Brexit*, Short Books, 2019

Shipman Tim, *All Out War: The Full Story of How Brexit Sank Britain's Political Class*, William Collins, 2016

— *Fall Out: A Year of Political Mayhem*, William Collins, 2018

Sopel Jon, *If Only They Didn't Speak English*, BBC Books, 2017

Taylor Alex, *Brexit. L'autopsie d'une illusion*, Lattès, 2019

Tharoor Shashi, *Inglorious Empire: What the British Did to India*, Hurst, 2019

Thucydide, *La Guerre du Péloponnèse*, Les Belles Lettres, 1990

Tombs Robert, *The English and their History*, Penguin, 2015

Tombs Robert et Isabelle, *La France et le Royaume-Uni. Des ennemis intimes*, Armand Colin, 2012

Van Reterghem Marion, *Mon Europe, je t'aime moi non plus*, Stock, 2019

Zeldin Theodore, *Histoire des passions françaises*, 3 tomes, Seuil, 1980-1981

— *Les Français*, Fayard, 1983

Romans

Caroll Lewis, *Alice au pays des merveilles* et *Derrière le miroir*

Coe Jonathan, *Numéro 11*, Gallimard, 2016

— *Le Cœur de l'Angleterre*, Gallimard, 2020

Le Carré John, *Retour de service*, Gallimard, 2019

Marshall Henrietta Elizabeth, *Our Island story: A History of Britain for Boys and Girls*, Weidenfeld & Nicolson, 2014 (première édition en 1905)

McEwan Ian, *Le Cafard*, Gallimard, 2020

Morand Paul, *Londres* suivi de *Le Nouveau Londres*, Gallimard, 2012

Shakespeare William, *Richard II*.

Vincent Bruno, *Five on Brexit island*, Quercus, 2016

Young Lucien, *Alice in Brexitland*, Ebury press, 2017

Bande dessinée

Goscinny et Uderzo, *Astérix*, Dargaud
Benson Tim (ed.), *Britain's Best Political Cartoons*, Hutchinson,
   Publications annuelles.

Table

DANS LA MÊME COLLECTION

Hannah Arendt et Mary McCarthy, Correspondance, 1949-1975, *2009.*

Didier Epelbaum, Obéir. Les déshonneurs du capitaine Vieux, Drancy 1941-1944, *2009.*

Béatrice Durand, La Nouvelle Idéologie française, *2010.*

Zaki Laïdi, Le Monde selon Obama, *2010.*

Bérénice Levet, Le Musée imaginaire d'Hannah Arendt, *2011.*

Simon Epstein, 1930, Une année dans l'histoire du peuple juif, *2011.*

Alain Renault, Un monde juste est-il possible?, *2013.*

Yves Michaud, Le Nouveau Luxe. Expériences, arrogance, authenticité, *2013.*

Nicolas Offenstadt, En place publique. Jean de Gascogne, crieur au xve siècle, *2013.*

François Heisbourg, La Fin du rêve européen, *2013.*

Axel Kahn, L'Homme, le Libéralisme et le Bien commun, *2013.*

Marie-Claude Blais, Marcel Gauchet, Dominique Ottavi, Transmettre, apprendre, *2014.*

Thomas Bouchet, Les Fruits défendus. Socialismes et sensualité du xixe siècle à nos jours, *2014.*

Olivier Rey, Une question de taille, *2014.*

Didier Epelbaum, Des hommes vraiment ordinaires? Les bourreaux génocidaires, *2015.*

François Heisbourg, Secrètes histoires. La naissance du monde moderne, *2015*

Marcel Gauchet, avec Éric Conan et François Azouvi, Comprendre le malheur français, *2016.*

Yves Michaud, Contre la bienveillance, *2016.*

Axel Kahn, Être humain, pleinement, *2016.*

François Heisbourg, Comment perdre la guerre contre le terrorisme, *2016.*

Marcela Iacub, La Fin du couple, *2016.*

Olivier Rey, Quand le monde s'est fait nombre, *2016.*

Guillaume Bachelay, La Politique sauvée par les livres, *2016.*

Bérénice Levet, Le Crépuscule des idoles progressistes, *2017.*

Pierre Haski, Le Droit au bonheur, *2017.*

Pierre Puchot et Romain Caillet, «Le Combat vous a été prescrit». Une histoire du jihad en France, *2017.*

François Dosse, Le Philosophe et le Président. Ricœur & Macron, *2017.*

Paul Yonnet, Zone de mort, *2017.*

Sylvie Bermann, La Chine en eaux profondes, *2017.*

Mark Lilla, La Gauche identitaire. L'Amérique en miettes, *2018.*

Nicolas Offenstadt, Le Pays disparu. Sur les traces de la RDA, *2018.*

Annie Le Brun, Ce qui n'a pas de prix, *2018.*

Rémi Brague et Souleymane Bachir Diagre, La Controverse. Dialogue sur l'Islam, *2019.*

Clément Rosset, avec Alexandre Lacroix, La joie est plus profonde que la tristesse, *2019.*

Marie Cosnay et Mathieu Potte-Bonneville, Voit venir. Écrire l'hospitalité, *2019.*

Jean-Pierre Rioux, Gouverner au centre, *2020.*

«RÉPLIQUES»
sous la direction d'Alain Finkielkraut

Van Renterghem Marion, Mon Europe, je t'aime moi non plus. 1989-2019, *2019.*

Ece Temelkuran, Comment conduire un pays à sa perte. Du populisme à la dictature, *2019.*

Assa Traoré et Geoffroy de Lagasnerie, Le Combat Adama, *2019.*

Ce que peut la littérature, *2006.*

Qu'est-ce que la France?, *2007.*

La Querelle de l'école, *2007.*

L'Interminable Écriture de l'Extermination, *2010.*

Cet ouvrage a été composé
par Belle Page
et achevé d'imprimer en France
par CPI BUSSIÈRE (18200 Saint-Amand-Montrond)
pour le compte des Éditions Stock
21, rue du Montparnasse, 75006 Paris
en janvier 2021

Imprimé en France

Dépôt légal : janvier 2021
N° d'édition : 01 - N° d'impression : 2055344
27-07-2885/8